특허청 등록
최보규 자기계발코칭 창시자
등록 번호: 제 40-2072344 호

강사는 누구나 한다. 다만
강사 비수기 5개월은 아무나 극복하지 못한다.

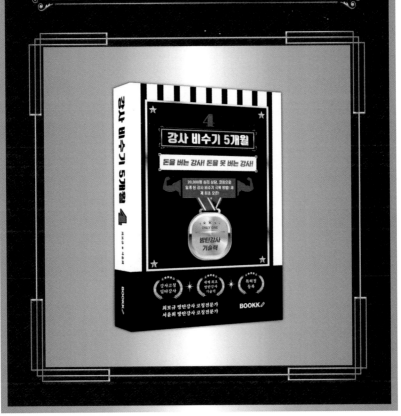

강사는 누구나 한다. 다만
강사 비수기 5개월은 아무나 극복하지 못한다.

방탄강사기술력 사명

들어라 하지 말고 듣게 하자.

누구처럼 살지 말고 나답게 살자.

좋아하게 하지 말고 좋아지게 하자.

마음을 얻으려 하지 말고 마음을 열게 하자.

믿으라 말하지 말고 믿을 수 있는 사람이 되자.

좋은 사람을 기다리지 말고 좋은 사람이 되어주자.

보여주는(인기) 인생을 사는 것이 아닌

보여지는(인정) 인생을 살아가자.

나 이런 사람이야 말하지 않아도 이런 사람이구나.

몸, 머리, 마음으로 느끼게 하자

-최보규 방탄기술력 창시자 -

방탄자기계발사관학교
최보규 참모총장

🔵 특허청 등록 🔵
최보규 자기계발코칭 창시자
등록 번호: 제 40-2072344 호

🔵 특허청 등록 🔵
최보규 리더동기부여 코칭전문가
등록 번호: 제 40-2128786 호

🔵 특허청 등록 🔵
최보규 강사책출간 코칭전문가
등록 번호: 제 40-2200794 호

지금처럼이 아닌 지금부터 살게 해주겠습니다.
때를 기다리는 사람이 아닌 때를 만들어가는
사람으로 변화시켜 주겠습니다.
세상에는 최보규 코칭전문가 보다
코칭을 잘 하는 사람 많습니다.
하지만 세상에서 최보규 코칭전문가 만큼
함께 하는 사람을
자립할 수 있을 때까지 케어해주는 사람은 없을 것입니다!

최보규 방탄자기계발사관학교 참모총장

Google 자기계발아마존   ▶ YouTube 방탄자기계발   NAVER 방탄자기계발사관학교   NAVER 최보규

강사 비수기 5개월
머리말

강사는 누구나 한다. 다만
강사 비수기 5개월은 아무나 극복하지 못한다.

돈을 버는 강사! 돈을 못 버는 강사!

20,000명 심리 상담, 코칭으로
알게 된 강사 비수기 극복 방법!
세계 최초 오픈!

★ ★ ★ ★ ★
ONLY ONE
방탄강사
기술력

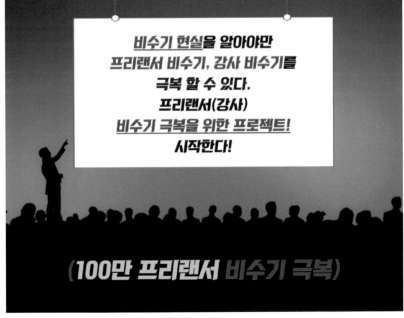

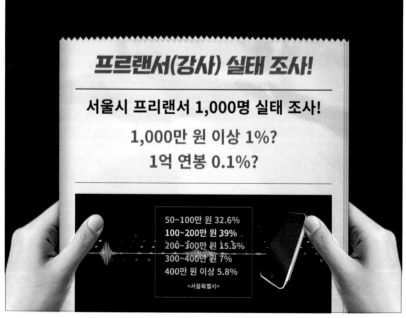

강사 비수기 5개월

프르랜서(강사) 39%가 평균 152만 원.
(24년 최저 임금 206만 원)
최저 임금 보다 못 버는 강사가 대부분이다.

100만 프리랜서 90%가 생계형!

강사 비수기 5개월

생계형 강사가 90% 현실인데 강사양성 하는 교육자들,
강사책들 대부분이 "한 달에 1,000만 원 강사 될 수 있습
니다! 1억 연봉 강사 될 수 있습니다!" 라는 거짓말로 시
작하는 강사들을 현혹시킨다. 강사 직업에 직무유기를 하
고 있다.

한 달 1,000만 원 강사?
1억 연봉 강사?

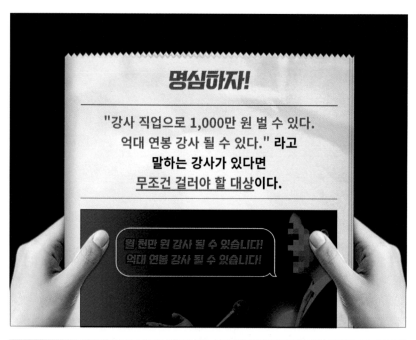

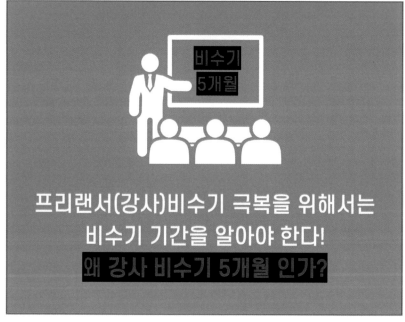

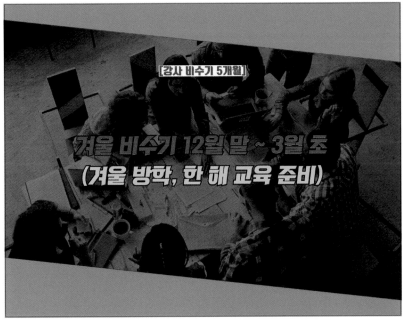

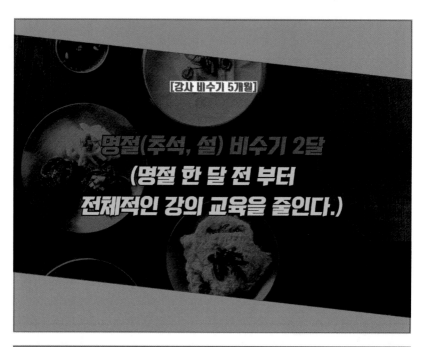

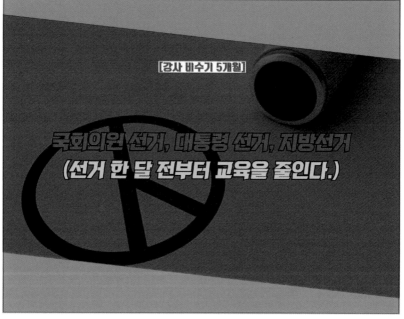

강사 비수기 5개월을
극복하기 위한 선택지는
2가지뿐이다.

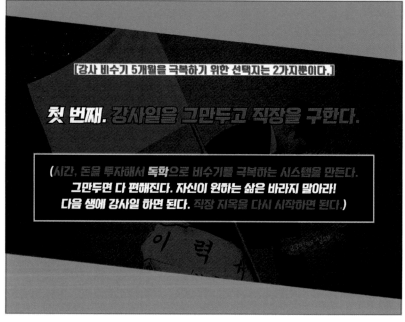

[강사 비수기 5개월을 극복하기 위한 선택지는 2가지뿐이다.]

첫 번째. 강사일을 그만두고 직장을 구한다.

(시간, 돈을 투자해서 독학으로 비수기를 극복하는 시스템을 만든다.
그만두면 다 편해진다. 자신이 원하는 삶은 바라지 말아라!
다음 생에 강사일 하면 된다. 직장 지옥을 다시 시작하면 된다.)

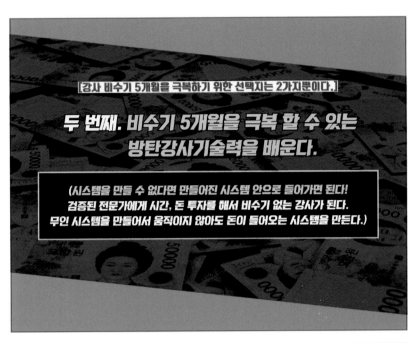

20,000명 심리 상담, 코칭으로 알게 된
강사 비수기 5개월 돈 못 버는 강사 6가지 유형

1. 강사 인맥 없음.
2. 강의 거래처 없음.
3. 강사 스펙 없음.
4. 강사료 10만 원 이하 강의만 하는 강사 (평균 10건 강의 중 80%가 10만 원 이하 강의를 하는 강사. 10건 중 8건 평균 강사료가 1시간에 10만 원 이라면 강사 몸값은 10만 원이 되는 것이다.)
5. 강의 경력이 10년, 20년이 되어도 강사료가 그대로인 강의를 하는 강사 (관공서 강의, 학교 강의, 복지관 강의, 의무 교육 강의...강사료가 100년이 지나도 고정되어 있는 강의 분야)
6. 온라인 콘텐츠, 디지털 콘텐츠 디자인 제작을 못하는 강사

#. 6가지 유형 중 한 가지라도 해당되면 돈을 벌 수 없다.

20,000명 심리 상담, 코칭으로 알게 된
강사 비수기 5개월 돈 버는 강사 6가지 유형

1. 강사 양성 교육 시스템(강사 교육, 코칭)이 있는 강사
2. 민간 자격증 교육 시스템(검증된 민간 자격증 발급 기관)이 있는강사
3. 단톡, 밴드, 카페, 모임방(100명 이상)을 운영하는 단체, 협회 장
4. 강사 에이전시(기업과 강사를 연결) 역할을 하는 단체, 협회 장
5. 강의 전문 분야로 온라인 콘텐츠 제작
   (PPT 디자인, 영상 디자인, 홍보 디자인)을 할 수 있는 강사
6. 책, 디지털 콘텐츠 제작으로 무인 시스템을 만든 강사

#. 6가지 유형을 모두 하더라도 돈을 무조건 버는 것이 아니다. 극소수 강사만 돈을 번다.(0.1%)

돈 못 버는 강사 6가지 유형

돈 버는 강사 6가지 유형

지금까지 내용을 제대로 봤다면 무조건 이런 생각이 들 것이다.

돈 못 버는 강사 6가지 유형

돈 버는 강사 6가지 유형

"강사 비수기 5개월 돈 버는 강사 6가지 유형 중에는 하나도 해당이 안 되고 돈을 못 버는 강사 6가지 유형에는 해당되는 게 많은데... 강사일 접어야 되나? 강사 직업 앞이 깜깜하네. 강사일 너무 대충 했다. 강사 직업 보통이 아니다. 강사일 그래도 미련이 남았는데 지금부터라도 제대로 하고 싶은데 방법이 없나?"

당신에 천재일우 시스템!
강사계의 스티브잡스!
강사계 혁신!

[천재일우(千載一遇): 천 년에 한 번 만난다는 뜻으로 좀처럼 만나기 어려운 기회]

Google 자기계발아마존 | ▶ YouTube 방탄자기계발 | NAVER 방탄강사기술력 | NAVER 최보규

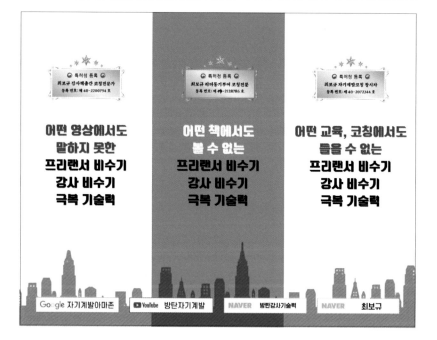

어떤 영상에서도
말하지 못한
프리랜서 비수기
강사 비수기
극복 기술력

어떤 책에서도
볼 수 없는
프리랜서 비수기
강사 비수기
극복 기술력

어떤 교육, 코칭에서도
들을 수 없는
프리랜서 비수기
강사 비수기
극복 기술력

Google 자기계발아마존 | ▶ YouTube 방탄자기계발 | NAVER 방탄강사기술력 | NAVER 최보규

18

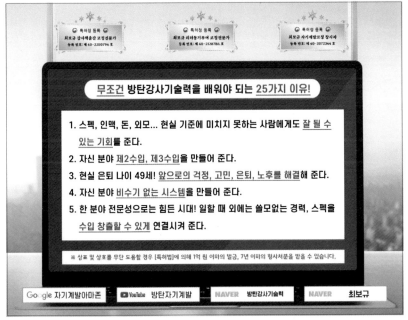

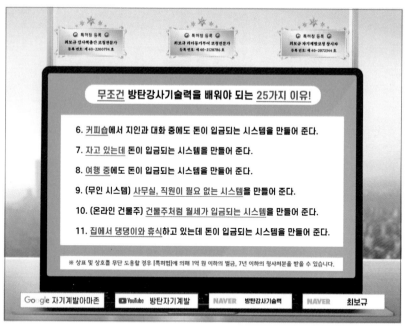

무조건 **방탄강사기술력**을 배워야 되는 **25가지 이유!**

6. 커피숍에서 지인과 대화 중에도 돈이 입금되는 시스템을 만들어 준다.

7. 자고 있는데 돈이 입금되는 시스템을 만들어 준다.

8. 여행 중에도 돈이 입금되는 시스템을 만들어 준다.

9. (무인 시스템) 사무실, 직원이 필요 없는 시스템을 만들어 준다.

10. (온라인 건물주) 건물주처럼 월세가 입금되는 시스템을 만들어 준다.

11. 집에서 댕댕이와 휴식하고 있는데 돈이 입금되는 시스템을 만들어 준다.

※ 상표 및 상호를 무단 도용할 경우 [특허법]에 의해 1억 원 이하의 벌금, 7년 이하의 형사처분을 받을 수 있습니다.

Google 자기계발아마존   ▶YouTube 방탄자기계발   NAVER 방탄강사기술력   NAVER 최보규

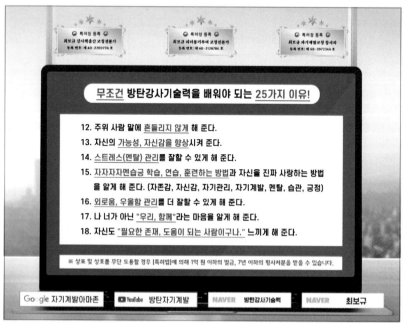

무조건 **방탄강사기술력**을 배워야 되는 **25가지 이유!**

12. 주위 사람 말에 흔들리지 않게 해 준다.

13. 자신의 가능성, 자신감을 향상시켜 준다.

14. 스트레스(멘탈) 관리를 잘할 수 있게 해 준다.

15. 자자자자멘습궁 학습, 연습, 훈련하는 방법과 자신을 진짜 사랑하는 방법을 알게 해 준다. (자존감, 자신감, 자기관리, 자기계발, 멘탈, 습관, 긍정)

16. 외로움, 우울함 관리를 더 잘할 수 있게 해 준다.

17. 나 너가 아닌 "우리, 함께"라는 마음을 알게 해 준다.

18. 자신도 "필요한 존재, 도움이 되는 사람이구나." 느끼게 해 준다.

※ 상표 및 상호를 무단 도용할 경우 [특허법]에 의해 1억 원 이하의 벌금, 7년 이하의 형사처분을 받을 수 있습니다.

Google 자기계발아마존   ▶YouTube 방탄자기계발   NAVER 방탄강사기술력   NAVER 최보규

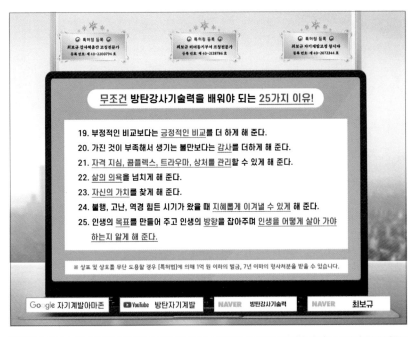

무조건 **방탄강사기술력**을 배워야 되는 **25가지 이유!**

19. 부정적인 비교보다는 긍정적인 비교를 더 하게 해 준다.
20. 가진 것이 부족해서 생기는 불만보다는 감사를 더하게 해 준다.
21. 자격 지심, 콤플렉스, 트라우마, 상처를 관리할 수 있게 해 준다.
22. 삶의 의욕을 넘치게 해 준다.
23. 자신의 가치를 찾게 해 준다.
24. 불행, 고난, 역경 힘든 시기가 왔을 때 지혜롭게 이겨낼 수 있게 해 준다.
25. 인생의 목표를 만들어 주고 인생의 방향을 잡아주며 인생을 어떻게 살아 가야 하는지 알게 해 준다.

※ 상표 및 상호를 무단 도용할 경우 [특허법]에 의해 1억 원 이하의 벌금, 7년 이하의 형사처분을 받을 수 있습니다.

Google 자기계발아마존   YouTube 방탄자기계발   NAVER 방탄강사기술력   NAVER 최보규

강사계의 스티브잡스!
강사계 혁신! 방탄강사기술력!

방탄강사기술력은 당신에게
천재일우!

[천재일우(千載一遇): 천 년에 한 번 만난다는 뜻으로
좀처럼 만나기 어려운 기회]

Google 자기계발아마존   YouTube 방탄자기계발   NAVER 방탄강사기술력   NAVER 최보규

방탄강사기술력

커피숍에서 지인과 대화 중에도 돈이 입금되는 시스템?	자고 있는데 돈을 버는 시스템?	여행 중에도 돈이 입금되는 시스템?
사무실, 직원이 필요 없는 시스템?	건물주처럼 월세가 입금되는 시스템?	집에서 댕댕이와 휴식하고 있는데 돈이 입금되는 시스템?

방탄강사기술력은
강사 비수기 극복, 수입 창출만 하는
기술력이 아니다.
**"당신은 제가 좋은 사람이 되고
싶도록 만들어요." 말을 들을 수 있는
강사 인재를 양성하는 기술력이다!**

Google 자기계발아마존	▶YouTube 방탄자기계발	NAVER 방탄강사기술력	NAVER 최보규

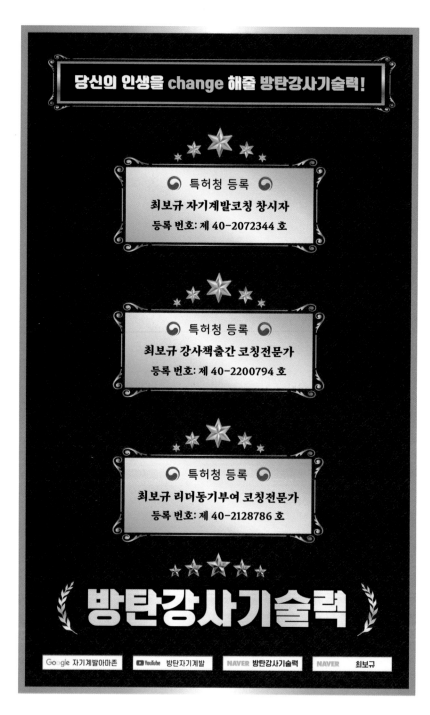

당신의 인생을 change 해줄 방탄강사기술력!

특허청 등록
최보규 자기계발코칭 창시자
등록 번호: 제 40-2072344 호

특허청 등록
최보규 강사책출간 코칭전문가
등록 번호: 제 40-2200794 호

특허청 등록
최보규 리더동기부여 코칭전문가
등록 번호: 제 40-2128786 호

방탄강사기술력

Google 자기계발아마존　　YouTube 방탄자기계발　　NAVER 방탄강사기술력　　NAVER 최보규

평균 희망 은퇴 73세, 현실 은퇴 나이 49세! 100세 시대 언제까지 몸(노동)으로만 일해서 돈을 벌 것인가?

세상, 현실 기준에서 스펙, 돈, 인맥, 자산 등이 없어서 100세까지 노동을 해야 되고 몸까지 아프면 더 답이 없는 상황! 젊을 때는 100가지 중 99가지를 할 수 있지만 나이 들면 100가지 중 99가지를 할 수 없다. 3고 시대, AI 시대, 챗GPT 시대에 자신의 직업이 사라질 수 있는 상황에서 어떻게 준비, 대비할 것인가?

 방탄강사기술력 선택이 아닌 필수!

ONLY ONE
방탄강사 기술력

Google 자기계발아마존　　▶ YouTube 방탄자기계발　　NAVER 방탄강사기술력　　NAVER 최보규

기업들 희망퇴직 만 40세부터... **회망퇴직 나이 73세**
이고 대한민국 현실 은퇴 나이 49세! 20대 은퇴 예정
자? 30대 은퇴 확정자? 40대 은퇴 위험군?

노벨상 받은 사람, 하버드 대학교 교수, 은퇴 전문가,
노후 전문가들 1,000명 이면 1,000명이 말하는 것은
최고의 은퇴 준비, 노후 준비는 <u>100세까지 현역을 하</u>
는 것이다. 왜 가지고 있는 경력을 썩히고 있는가? 쌓
은 경력은 사직, 퇴직, 은퇴... 하면 인정해 주지 않는
현실 속에서 쌓은 경력으로 100세까지 지속할 수 있
는 JOB이 있다면? 나이 제한 없이 할 수 있는 JOB이
있다면?

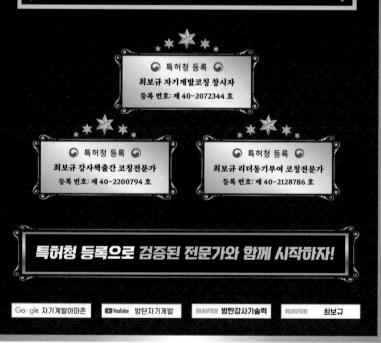

🏛 특허청 등록 🏛
최보규 자기계발코칭 창시자
등록 번호: 제 40-2072344 호

🏛 특허청 등록 🏛
최보규 강사책출간 코칭전문가
등록 번호: 제 40-2200794 호

🏛 특허청 등록 🏛
최보규 리더동기부여 코칭전문가
등록 번호: 제 40-2128786 호

특허청 등록으로 검증된 전문가와 함께 시작하자!

| Google 자기계발아마존 | ▶YouTube 방탄자기계발 | NAVER 방탄강사기술력 | NAVER 최보규 |

26

한 분야 전문성으로 힘든 시대다. 이제는 포트폴리오 커리어 시대다. (포트폴리오 커리어: 한 분야 전문성 외 다수에 전문성이 있는 사람) 자신 경력을 왜 썩히고 있는가! 자신 경력을 활용해서 6가지 수입을 발생시킬 수 있는 방탄강사기술력! 언제까지 몸(노동)으로 일할 것인가? 자신 경력이 일하게 하자! 자신 콘텐츠가 일하게 하자! 시스템이 일하게 하자!

⭐ ⭐ ⭐ ⭐ ⭐

직장은 자신 인생을 책임져 주지 않지만
방탄강사기술력은 자신 인생을 책임져 준다.
직장은 자신을 배신하지만
방탄강기술력은 자신을 배신하지 않는다.

★ ★ ★ ★ ★
ONLY ONE
**방탄강사
기술력**

✓ **방탄강사기술력을**
무조건 배워야 되는 이유!
🛡 **25가지** 🛡

1 스펙, 인맥, 돈, 외모... 현실 기준에 미치지 못하는 사람에게도 잘될 수 있는 기회를 준다.

2 자신 분야 제2수입, 제3수입을 만들어 준다.

3 현실 은퇴 나이 49세! 앞으로의 걱정, 고민, 은퇴, 노후를 해결해 준다.

4 자신 분야 비수기 없는 시스템을 만들어 준다.

5 한 분야 전문성으로는 힘든 시대! 일할 때 외에는 쓸모없는 경력, 스펙을 수입 창출할 수 있게 연결시켜 준다.

방탄강사기술력을 무조건 배워야 되는 이유!

✓

25가지

6 커피숍에서 지인과 대화 중에도 돈이 입금되는 시스템을 만들어 준다.

7 자고 있는데 돈이 입금되는 시스템을 만들어 준다.

8 여행 중에도 돈이 입금되는 시스템을 만들어 준다.

9 (무인 시스템) 사무실, 직원이 필요 없는 시스템을 만들어 준다.

10 (온라인 건물주) 건물주처럼 월세가 입금되는 시스템을 만들어 준다.

방탄강사기술력을 ✓ 무조건 배워야 되는 이유! 25가지

11 집에서 댕댕이와 휴식하고 있는데 돈이 입금 되는 시스템을 만들어 준다.

12 주위 사람 말에 흔들리지 않게 해 준다.

13 자신의 가능성, 자신감을 향상시켜 준다.

14 스트레스(멘탈) 관리를 잘할 수 있게 해 준다.

15 자자자자멘습궁 학습, 연습, 훈련하는 방법과 자신을 진 짜 사랑하는 방법 을 알게 해 준다. (자존감, 자신감, 자기 관리, 자기계발, 멘탈, 습관, 긍정)

방탄강사기술력을 ✓ 무조건 배워야 되는 이유! 25가지

16 | 외로움, 우울함 관리를 더 잘할 수 있게 해 준다.

17 | 나 너가 아닌 "우리, 함께"라는 마음을 알게 해 준다.

18 | 자신도 "필요한 존재, 도움이 되는 사람이구나." 느끼게 해 준다.

19 | 부정적인 비교보다는 긍정적인 비교를 더 하게 해 준다.

20 | 가진 것이 부족해서 생기는 불만보다는 감사를 더하게 해 준다.

✓ **방탄강사기술력을**
무조건 배워야 되는 이유!
🛡 **25가지** 🛡

---

21 | 자격 지심, 콤플렉스, 트라우마, 상처를 관리
할 수 있게 해 준다.

---

22 | 삶의 의욕을 넘치게 해 준다.

---

23 | 자신의 가치를 찾게 해 준다.

---

24 | 불행, 고난, 역경 힘든 시기가 왔을 때 지혜롭
게 이겨낼 수 있게 해 준다.

---

25 | 인생의 목표를 만들어 주고 인생의 방향을 잡아주
며 인생을 어떻게 살아 가야 하는지 알게 해 준다.

강사 비수기 5개월
목차

강사는 누구나 한다. 다만
강사 비수기 5개월은 아무나 극복하지 못한다.

돈을 버는 강사! 돈을 못 버는 강사!

20,000명 심리 상담, 코칭으로
알게 된 강사 비수기 극복 방법!
세계 최초 오픈!

★ ★ ★ ★ ★
ONLY ONE

방탄강사
기술력

목차

《강사 비수기 5개월 4》

방탄강사기술력

커피숍에서 지인과 대화 중에도 돈이 입금되는 시스템?

자고 있는데 돈을 버는 시스템?

여행 중에도 돈이 입금되는 시스템?

사무실, 직원이 필요 없는 시스템?

건물주처럼 월세가 입금되는 시스템?

집에서 댕댕이와 휴식하고 있는데 돈이 입금되는 시스템?

방탄강사기술력은
강사 비수기 극복, 수입 창출만 하는
기술력이 아니다.
"당신은 제가 좋은 사람이 되고
싶도록 만들어요." 말을 들을 수 있는
강사 인재를 양성하는 기술력이다!

Google 자기계발아마존   ▶YouTube 방탄자기계발   NAVER 방탄강사기술력   NAVER 최보규

2장. 강사 비수기 5개월을 극복하기 위한 방탄강사기술력 6가지 시스템

강사는 누구나 한다. 다만
강사 비수기 5개월은 아무나 극복하지 못한다.

돈을 버는 강사! 돈을 못 버는 강사!

20,000명 심리 상담, 코칭으로
알게 된 강사 비수기 극복 방법!
세계 최초 오픈!

ONLY ONE
방탄강사
기술력

1. 포트폴리오 커리어
강사 리더는 왜!
작가 자기계발을 해야 하는가?

강사 리더는 자신 분야의 전문가다. 짝퉁 전문가는 매뉴얼, 시스템이 머리에만 있어 말로만 한다. 명품 전문가는 매뉴얼, 시스템이 자료화(전문 서적)되어 있다. 강사 리더의 경력은 스펙이 아니다. 강사 리더가 경력을 자료화(책 출간)할 때 강력한 스펙이 된다!

PPT로 종이책 만들기 매뉴얼

누군가는 PPT를 일할 때 외에는 활용하지 않는다. 하지만 누군가는 PPT를 활용하여 책을 출간해서 제2수입, 제3수입을 올린다. 왜 가지고 있는 경력, 가지고 있는 PPT를 썩히고 있는가?

누구도 말하지 못한 PPT로 책출간! 어디에서도 보지 못한 PPT로 책출간! 어떤 책에서도 보지 못한 PPT로 책출간! 어떤 영상에서도 보지 못한 PPT로 책출간! 어떤 사람에게도 들을 수 없는PPT로 책출간!

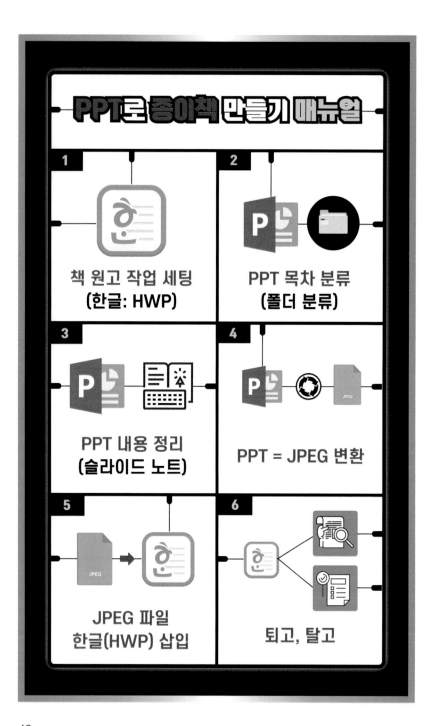

#. 이 책에서 말하는 종이책 출간하는 방법들의 기본은 bookk(부크크)출판사 기준으로 말을 할 것이다. 필자가 150권을 출간하면서 3권 빼고는 bookk 출판사 기준으로 출판을 했다. 종이책 출간의 정답은 없기에 시간, 돈 낭비를 줄이는 방법을 오픈하기에 집착하기보다는 맹신해도 좋다. 종이책 출간하기 위해서 1권 출간 비용이 최소 300만 원 ~ 1,000만 원 들어가는 것을 0원으로 출간하는 기술력을 오픈하기에 무조건 따라해야 한다. 순간 이런 생각이 들 것이다.

"대부분 맹신하지 말고 참고만 하라고 하는데 최보규 강사책쓰기 코칭전문가는 왜 맹신하라고 하지? 종이책 150권, 전자책 250권 총 400권 출간했으니 무조건 따라 해라? 종이책 150권, 전자책 250권 총 400권 출간했으면 검증된 것은 맞지만 그래도 맹신은 좀 그렇지 않습니까?"

종이책 150권, 전자책 250권 총 400권 출간했다는 이유만으로 맹신하라고 하는 것이 아니다. 평균 자비 출판하면 1권 출간 비용이 300만 원이 들어간다.
150권*300만 원 = 4억 5천만 원이 들어갔을까? 비용이 그렇게 들어갔다면 이 책 쓸 자격이 안 되는 것이다. 방탄book기술력으로 0원이 들어갔기에 맹신하라고 하는 것이다. 책을 출간하고 싶은 90% 사람들이 1권 출간하는데 몇 백 만원 들어가는 것에 부담이 돼서 출간을 하지 않는다. 출간 비용이 0원이라는데 맹신 안하면 우주에서 바보 아닌가?

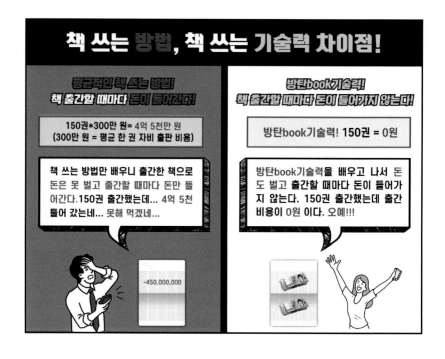

종이책 150권, 전자책 250권 총 400권 출간으로 종이책 인세, 전자책(PDF)인세 한 달에 얼마가 나올 거 같은가? 출간한 책과 6가지 수입을 창출할 수 있는 기술력을 연결해서 수입을 발생시키고 있다면? 맹신해야 되겠는가? 스쳐 지나가는 바람처럼 취급을 해야 되겠는가? 알아서 판단하길 바란다. 순간 또 이런 생각이 들것

이다. "수입 인증 할 수 있습니까?"

20,000명 심리 상담, 코칭 하면서 알게 된 것이 있다. 수입 인증, 통장을 보여주는 사람들이 다 사기꾼은 아니지만 단언컨대 수입 인증, 통장 오픈 하는 사람 90%는 사기꾼이라는 것이다. 얼마든지 수입 인증, 통장 인증, 영상 인증을 조작 할 수 있는 현실이기 때문이다.

2024년 대한민국 현실은 5명 중 1명이 사기꾼이고 3혹[유혹, 현혹, 화혹(화려함에 혹하다)]에 빠져 3명 중 1명중 한명이 사기 당한다. 대검찰청에 따르면 연간 136만 건 범죄 중 가장 많이 발생하는 범죄가 1위는 사기다. 수입 인증, 통장 인증하는 사람들 90%는 "믿음을 줘야 크게 한탕을 칠 수 있다."라는 심리가 있다. 수입 인증, 통장 인증하는 사람들이 다 사기꾼은 아니다. 하지만 단언컨대 사기꾼들은 수입 인증, 통장 인증을 한다는 것을 명심하자!

지금 시대는 돈 버는 방법을 배우는 것보다 선행되어야 할 것은 사기 안 당하는 방법을 배워야 한다. 그래서 수입 인증, 통장 인증을 하는 사람들 90% 의심하고 또 의심하고 경계해야 한다. 그래서 필자는 한탕을 칠 마음으로 방탄book기술력을 오픈하는 게 아니라 "다 함께 잘 되고 잘 살자"라는 마음으로 방탄book기술력을 오픈하는 것이기 때문에 수입 인증, 통장 인증을 하지 않는다. 책 저작권료는 사후 70년까지 나오고 자녀와 공동저자로 등록하면 자신이 세상을 떠나더라도 자녀에게 저작권료가 간다.

책 출간이야말로 스펙, 돈 없는 일반 사람에게는 황금알을 낳는 거위가 아니라 다이아몬드는 낳는 21세기 거위라는 것이다. 은퇴 준비? 노후 준비? 연금 준비? 미래 준비? 다 되는 것이다. 하지만 시중에 있는 책 쓰기, 책 출간만 하는 교육, 코칭 하는 사람, 협회, 기관에서 배우는 것으로는 은퇴, 노후, 연금, 미래 준비를 할 수 없다.

책 쓰기, 책 출간만 하고 끝나는 것이 아닌 책 쓰기, 책 출간을 통해 6가지 수입까지 연결시킬 수 있는 기술력을 배워야만 은퇴, 노후, 연금, 미래 준비가 되는 것이다.

시중에 책 쓰기, 책 출간만 하는 사람, 협회, 기관들이 99%다. 대한민국에서 아니 세계에서 유일하게 방탄book기술력(책 한 권 출간으로 6가지 수입을 창출하는 기술력)을 배울 수 있는 곳은 방탄book출판사뿐이다.

출판계의 스티브 잡스!

스마트폰의 혁신!
아이폰
(아이팟 + 인터넷 + 폰)

출판계의 혁신!
방탄book
6가지 수입 창출 책 쓰기 기술력!

방 탄
book

세계 최초 방탄book 기술력!

아이팟, 인터넷 , 폰. 이것은
3개의 기기가 아닙니다.
하나의 디바이스입니다.
우리는 이것을 아이폰이라 부릅니다.

책만 출간하고 끝나는 것이 아닌 자신 분
야와 출간 한 책을 연결하여 6가지 수입
을 창출 할 수 있는 방법이 아닌 기술력을
전수 합니다. 우리는 이것을 방탄book
기술력이라 부릅니다.

방 탄
book

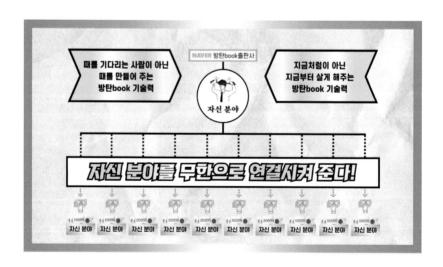

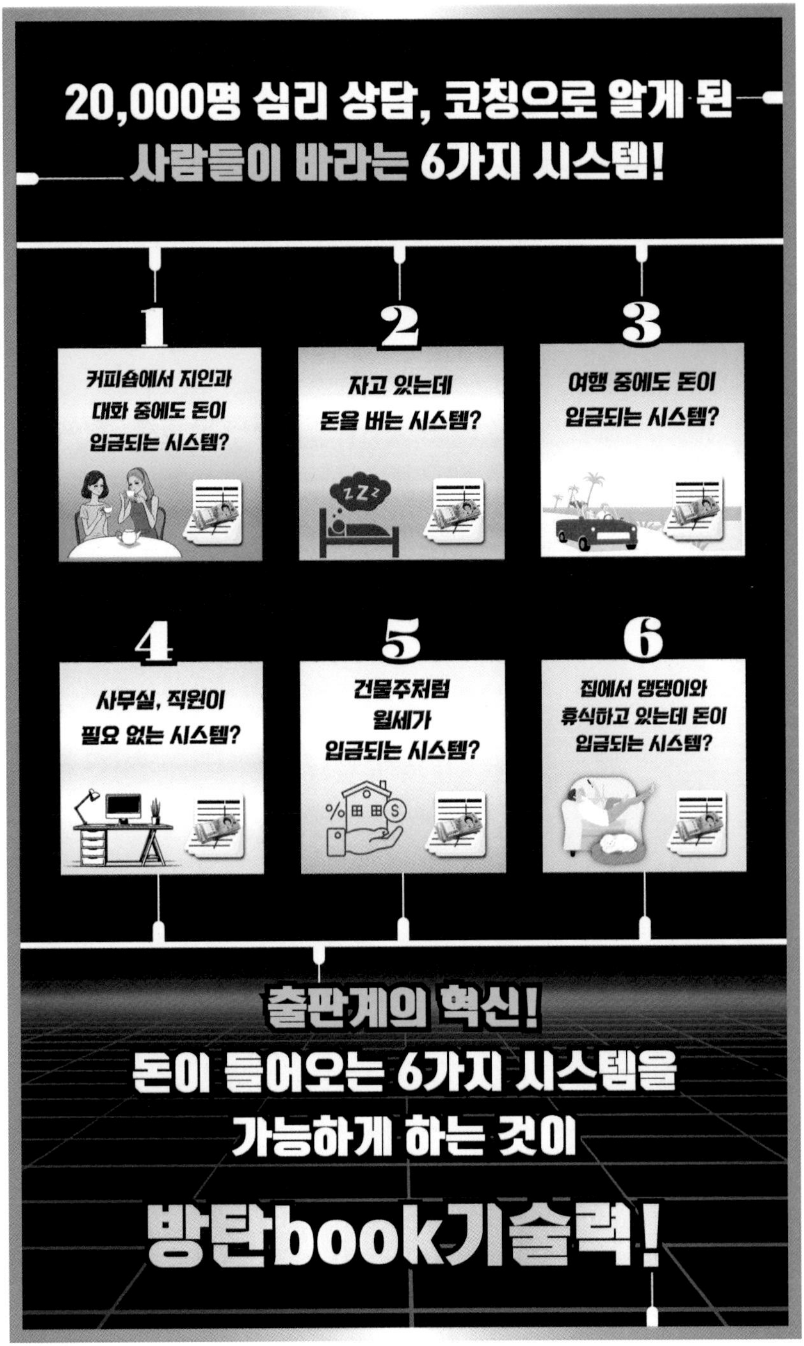
20,000명 심리 상담, 코칭으로 알게 된
사람들이 바라는 6가지 시스템!
1
커피숍에서 지인과 대화 중에도 돈이 입금되는 시스템?
2
자고 있는데 돈을 버는 시스템?
3
여행 중에도 돈이 입금되는 시스템?
4
사무실, 직원이 필요 없는 시스템?
5
건물주처럼 월세가 입금되는 시스템?
6
집에서 댕댕이와 휴식하고 있는데 돈이 입금되는 시스템?
출판계의 혁신!
돈이 들어오는 6가지 시스템을
가능하게 하는 것이
방탄book기술력!

평균 희망 은퇴 73세, 현실 은퇴 나이 49세!
100세 시대 언제까지 몸(노동)으로만
일해서 돈을 벌 것인가?

세상, 현실 기준에서 스펙, 돈, 인맥, 자산 등이
없어서 100세까지 노동을 해야 되고 몸까지 아
프면 더 답이 없는 상황! 젊을 때는 100가지 중
99가지를 할 수 있지만 나이 들면 100가지 중
99가지를 할 수 없다. 3고 시대, AI 시대, 챗
GPT 시대에 자신의 직업이 사라 질 수 있는 상황
에서 어떻게 준비, 대비할 것인가?

 방탄BOOK기술력
선택이 아닌 필수!

ONLY ONE
방탄
BOOK
기술력

한 분야 전문성으로 힘든 시대다. 이제는 포트폴리오 커리어 시대다. (포트폴리오 커리어: 한 분야 전문성 외 다수에 전문성이 있는 사람) 자신 경력을 왜 썩히고 있는가! 자신 경력을 활용해서 6가지 수입을 발생시킬 수 있는 방탄book기술력! 언제까지 몸(노동)으로 일할 것인가? 자신 경력이 일하게 하자! 자신 콘텐츠가 일하게 하자! 시스템이 일하게 하자!

★ ★ ★ ★ ★

직장은 자신 인생을 책임져 주지 않지만
방탄book기술력은 자신 인생을 책임져 준다.
직장은 자신을 배신하지만
방탄book기술력은 자신을 배신하지 않는다.

ONLY ONE

방탄
BOOK
기술력

1. 책 원고 작업 세팅.
(한글(HWP)에 종이책 기본 규격 세팅)

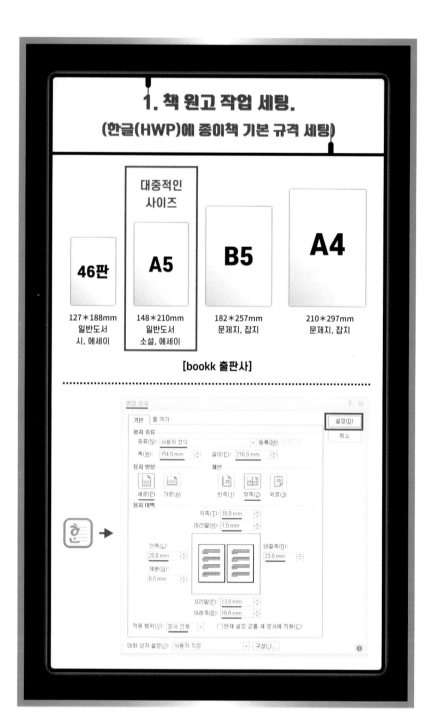

대중적인 사이즈

46판
127＊188mm
일반도서
시, 에세이

A5
148＊210mm
일반도서
소설, 에세이

B5
182＊257mm
문제지, 잡지

A4
210＊297mm
문제지, 잡지

[bookk 출판사]

책 원고 작업을 여러 가지 프로그램에서 가능하지만 평균적으로 책 원고 작업을 한글(HWP)에서 한다. 그래서 출판사의 종이책 원고 규격에 맞는 한글(HWP)에 기본 규격 세팅을 해야 한다.

▶ 원고 작업을 위한 한글(HWP) 기본 규격 세팅 순서. 한글 → 편집 → 쪽 여백 → 쪽 여백 설정 → 종류(사용자 정의) → 폭(154) → 길이(216) #. A5 대중적인 사이즈 148*210인데 상하좌우 3mm는 실제 제작 할 때 재단되어 반영되지 않기에 148+6*216+6= 폭(154)*길이(216)가 되는 것이기에 참고하자.
→ 용지 방향(세로) → 제본(맞쪽) → 용지 여백 → 위쪽 18.0 → 머리말 7.0 → 꼬리말 13.0 → 아래쪽 18.0 → 안쪽 28.0 → 바깥쪽 23.0 → 문서 전체 → 설정

한 번만 세팅해 놓으면 복사해서 계속 쓸 수 있다.

1. 책 원고 작업 세팅.
(한글(HWP)에 종이책 기본 규격 세팅)

▶ 글꼴: 바탕 ~

▶ 글자 크기: 10 ~

▶ 글정력: 양쪽 정렬

▶ 줄 간격: 160% ~

※ 글꼴, 글자 크기, 줄 간격 출판사 마다 다르다.
bookk 출판사에서 평균적으로 사용하는 규격이
니 참고하길 바란다.

※ 글꼴, 글자 크기, 줄 간격 출판사마다 다르다. bookk 출판사에서 평균적으로 사용하는 규격이니 참고하길 바란다.

▶ 한글 → 글꼴(바탕) → 글자 크기(10) → 양쪽 정렬 → 줄 간격 160%

필자는 글자 크기를 12, 줄 간격은 180%로 하고 있다. 출판사가 정해 놓은 규격에서 조금 플러스가 될 수는 있지만 마이너스가 되면 안 된다. (책 출간이 안 되는 예시: 글자 크기 9, 줄 간격 150%)

한번만 세팅해 놓으면 복사해서 계속 쓸 수 있다.

1. 책 원고 작업 세팅.
(한글(HWP)에 종이책 기본 규격 세팅)

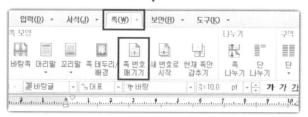

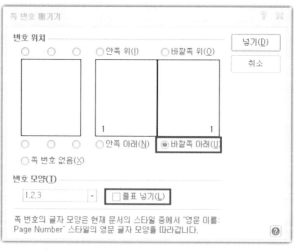

페이지 번호를 미리 세팅해 놓으면 원고 작업할 때 편하다. 지금 몇 페이지를 쓰고 있는지 몇 페이지가 남았는지 체크를 할 수가 있어서 원고 작업이 수월해진다. 쪽 번호 매기기는 원고를 다 쓴 다음에 할 수도 있다.

▶ 한글 → 쪽 → 쪽 번호 매기기 → 바깥쪽 아래 → → 줄표 넣기(자신 스타일에 맞게) → 넣기

한 번만 세팅해 놓으면 복사해서 계속 쓸 수 있다.

PPT를 활용하는 발표, 강의, 교육, 코칭을 하는 사람들은 기본적으로 서론, 본론, 결론으로 나누어서 PPT 작업을 할 것이다. 목차가 없더라도 서론, 본론, 결론 아니면 1장, 2장, 3장으로 PPT를 나눌 수 있을 것이다.

이미지와 같이 방탄동기부여 목차는 5개이다. PPT를 목차 별로 나누는 이유는 종이책 출간하기 위해 기본 규격 세팅해 놓은 한글(HWP)에 PPT를 JPEG 파일로 변환하여 삽입할 때 편하게 작업하기 위해서다.

PPT 슬라이드 50장 일 때 JPEG 파일로 변환할 때 소요 시간보다 100장 일 때 JPEG 파일로 변환할 때 소요 시간이 더 걸리기 때문이다. 그래서 빠른 원고 작업을 위해서 PPT를 목차 별로 쪼개는 것이다.

2. PPT에 있는 목차 개수에 맞게 PPT 나누기.
(예시: 목차 1 ~ 목차 5 / PPT 5개)

방탄동기부여

P⬛ ★목차1 방탄동기부여

P⬛ ★목차2 방탄동기부여

P⬛ ★목차3 방탄동기부여

P⬛ ★목차4 방탄동기부여

P⬛ ★목차5 방탄동기부여

P⬛ ★총정리6 방탄동기부여

이미지와 같이 방탄동기부여 목차가 5개이다. PPT를 5개로 나눈다.

★목차1 방탄동기부여 55장

★목차2 방탄동기부여 17장

★목차3 방탄동기부여 56장

★목차4 방탄동기부여 27장

★목차5 방탄동기부여 19장

★총정리6 방탄동기부여 62장

PPT 슬라이드 개수(50장 이하)가 적다면 PPT를 나누지 않아도 된다. 하지만 PPT 슬라이드 개수(50장 이상)가 많다면 한글(HWP)에 원고 작업할 때 헷갈리지 않기 위해서 쪼개서 작업을 하면 효율적이다.

3. 슬라이드 한 장씩 내용 정리하기.
(슬라이드 노트의 내용에 내용 설명 정리)

- 상담스토리

최보규 방탄 리더 자기계발 전문가님! 저는 자기계발 책 200권 이상을 보고 유튜브 동기부여, 자기계발 영상 300개 이상 봤습니다. 시중에 있는 유료 자기계발 교육, 영상들도 많이 봤습니다. 볼 때만 느끼고 느낀 만큼 실천 동기부여가 안 돼서 시간, 돈 낭비한 거 같고 언제까지 해야 하는지 답답하기만 하고 후회스럽습니다. 왜 나아짐이 없는지 이유를 알고 싶고 어떻게 하면 느낀 만큼 0.1% 하나라도 실천할 수 있는 방법은 없는지요? 어떻게 하면 느낀 만큼 행동으로 옮길 수 있을까요?

▶ PPT-보기-슬라이드 노트

슬라이드 노트에 슬라이드 설명을 정리해서 종이책 만들 한글(HWP)원고에 쓴다.

발표, 강의, 교육, 코칭을 할 때 말투 그대로 원고를 써도 되지만 책을 보는 독자들을 생각한다면 발표, 강의, 교육, 코칭 할 때 설명을 단순하게 표현을 한다면 책 내용은 좀 더 디테일하게 설명을 해주면 내용 전달이 더 잘 되어 이해하는 속도가 빨라진다.

예) 발표, 강의, 교육, 코칭 할 때는 고등어 이미지를 보여 주면서 등 푸른 생선인 고등어가 있습니다.
예) 책 원고를 쓸 때는 등 푸른 생선이 있습니다. 서식지, 크기, 지느러미 크기, 먹이, 생김새... 등

이미지로 보여주면서 독자들 머리에 그려지게 고등어 설명을 자세히 해줘야 한다. 그래야만 책 내용 전달이 잘 되는 것이다.

다음은 머리에 그려지게 하는 설명이 어떤 것인지 깨닫게 해주는 스토리텔링이다.

한 가족이 차를 타고 소풍을 갔다. 아들이 아빠에게 물

었다. "아빠, 자동차 바퀴는 어떻게 돌아가는 거야?" 아빠는 자신이 배운 대로 복잡하게 설명했다. "연료가 연소하면서 발생하는 열에너지를 기계에너지로 바꿔 자동차가 움직이는 데 필요한 동력을 얻는데, 후륜 자동차의 경우 클러치-변속기-추진축-차동기-엑 셀축-후차륜 순서로 동력을 전달해 자동차를 움직인단다." 아들이 고개를 갸우뚱하더니 이번에는 엄마에게 물었다.

"엄마, 자동차 바퀴는 어떻게 돌아가는 거야?" 그러자 엄마는 단 한마디로 대답했다. "응, 빙글빙글!"
《상상하여? 창조하라!》

초등학생도 알아들을 수 있는 단순하면서도 직관적인 강의 내용으로 강의를 하고 내용 정리를 해야 한다.
여기서 "초등학생도 알아들을 수 있는 내용"라는 말을 착각하는 사람들이 많다.
"초등학생도 알아들을 수 있는 말을 하면 수준이 너무 떨어지는 거 아닌가요? 성인들이 들었을 때 너무 뻔하고 식상한 강의, 책 내용이 되지 않을까요?"

여기서 말하는 "초등학생도 알아들을 수 있는 내용"이라는 말의 의미는 독자들, 청중들, 대중들 눈높이에 맞춰서 강의, 책 내용으로 단순 명료하게 말을 하면서 삼성(진정성, 전문성, 신뢰성)이 느껴지게 해야 된다는 것이다. 눈높이에 맞추면서 삼성(진정성, 전문성, 신뢰성)이 느껴지게 말을 하려면 내공이 있어야 한다.

한마디로 강의할 때, 책을 쓸 때 강사라면 강의 내공이 있어야 하고 작가라면 작가의 내공이 있어야 된다는 것이다.

20,000명 심리 상담, 코칭 하면서 알게 된 것은 강사들 90%가 강의 내공에 대해서 착각하는 강사들이 많다라는 걸 알았다. 강사들 90%가 강의 내공이란 강의 경험이 많고 강사 연차가 많으면 강의 내공이 자연스럽게 생기는 줄 안다. 이 말은 90% 틀렸고 10%만 맞다.

강사 분야를 떠나서 세상 모든 분야에 접목이 되는 말을 해주겠다. 20살, 30살, 40살, 50살 ~ 80살, 90살, 100살... 나이가 많으면 많을수록 평균적으로 경험이 많다. 그렇다면 나이가 많으면 많을수록 인생의 내공이 많을까? 인생 지혜가 많을까? 아니라는 것이다. 당연히 인생의 많은 경험과 나이가 많은 사람의 인생 노하우를 무시는 못 하지만 극소수 빼고는 인생의 내공, 인생의 지혜가 있는 사람이 없다. 한마디로 나잇값을 못하는 사람이 90%라는 것이다. 왜 똑같이 20살, 30살, 40살,

50살 ~ 80살, 90살, 100살... 나이를 먹었는데 극소수만 인생의 내공, 인생의 지혜가 다를까? 한 단어로 말을 할 수는 없지만 단언컨대 인생의 내공, 인생의 지혜를 얻기 위한 시행착오, 대가 지불, 인고의 시간을 90%의 일반 사람들 보다 100배는 자신이 시도하면서 극복했다는 것이다.

경험이 많다고 경력이 많다고 연차가 많다고 그 일에 대한 내공이 높아지지 않는다. 내공을 쌓기 위한 시도, 변화, 성장, 행동을 통해 시행착오, 대가 지불, 인고의 시간을 거칠 때 자신 분야 내공이 쌓이는 것이다. 내공, 지혜는 노력 없이 시간만 지나면 자연스럽게 먹는 나이처럼 생기는 것이 아니라 내공, 지혜를 쌓기 위한 어마어마한 행동이 있어야 된다는 것이다.

그런데 20,000명 심리 상담, 코칭 하면서 알게 된 것은 츄파춥스 강사들이 90%라는 것을 알았다. (츄파춥스 사탕: 사탕 머리는 큰데 사탕 손잡이는 가늘다. 머리만 커져서 이론만 알고 행동이 뒷받침이 되지 않는 개념 없는 강사.)

강사 2년 차만 넘어가면 강의를 잘한다는 착각 속에 빠져든다. 왜 그런지 아는가? 강사 5년 차 이하면 평균적으로 까다롭고 수준 높은 학습자를 상대하는 강의가 아닌 평균 수준인 학습자들 부류에서 강의를 주로 한다. (처음부터 수준 높은 강의를 시작하는 강사도 있긴 있다. 하지만 대부분 강사들이 경력이 없어서 까다롭지 않는 학습자부터 강의를 한다.) 수준 높은 학습자들은 5년 이상, 10년 이상 내공 있는 강사를 원한다.

평균 수준의 학습자 앞에서 강의를 많이 하다 보면 자신도 모르고 앞자리 병에 걸린다. (앞자리 병: 사람들 앞에서 말을 많이 하다 보면 마치 대단 한 사람이 된 것처럼 착각에 빠져서 강의, 스피치를 잘 하는 줄 아는 병)

평균 수준인 학습자와 교육 담당자에게 강의 잘 한다고 칭찬 몇 번 받은 것에 어깨 뽕이 올라가는 거만한 강사들이 많다. 수준 높은 학습자, 교육 담당자에게 강의 잘 한다고 칭찬을 받았더라도 마인드컨트롤을 유지하면서 더 겸손한 태도를 가져야 한다.

강사가 강의 잘한다고 듣는 게 칭찬인가? 당연한 거 아닌가? 의사가 환자치료 잘하는 게 잘하는 건가? 당연한 거 아닌가? 잘한다는 칭찬을 겸손하게 받아들이고 감정 컨트롤 하는 태도는 강사 내공에서 나온다는 것이다.

이 책 제목이 기억나는가? 《PPT로 책 출간》이다. 한 마디로 PPT를 통해 일하는 직업은 PPT를 활용해서 말을 하는 직업들이 많다. 그만큼 스피치 내공이 있어야 되는 것이다. 스피치 내공이 있어야 되는 직접적인 직업은 강사 직업이다. 그래서 강사 내공이 있어야 PPT 슬라이드 메모장에 슬라이드 내용 설명을 잘 쓸 수 있다.

슬라이드 내용 설명을 책으로 잘 쓰기 위해서는 강사 내공이 중요하다고 위에서도 강조했듯이 강사 내공이 없는 강사 10가지 유형, 강사 내공이 있는 강사 10가지 유형을 반드시 알아야만 책도 잘 쓸 수 있고 100만 강사들이 0순위로 바라는 것 중에 하나인 강사료를 올릴 수 있다고 확신한다. 다음에 나오는 10가지 유형을 반드시 기억하자!

* 강의 내공이 없는 강사 10가지 유형
1. 강사 시작 때 교육, 코칭으로 받았던 강의 교안 (PPT)을 1년, 2년이 지나도 이름만 바꿔서 사용하는 강사. 아무리 좋은 강의 교안을 받고 강의를 하더라도 강의를 하다 보면 자신 스타일이 있기 때문에 강의 교안 (PPT)을 수정하고 추가하며 다듬어야 되는데 기본적인 PPT조작법도 모르고 게을러서 전에 받았던 PPT교안을 1년, 2년... 10년이 지나도 그대로 쓰는 강사.

2. 강사 프로필 연도만 바뀌는 강사

강사 초보 때 만들었던 프로필 사진, PPT 디자인이 10년이 지나도 그대로인 강사. 프로필 사진, 디자인은 그대로 두고 새해가 되면 연도 글씨만 바꿔서 사용하는 강사. 코칭을 해보면 강사 프로필 자체가 선택받을 수 없는 프로필 디자인인데 프로필 경쟁에서 늘 안 된다고 원망만 하는 강사.

3. 강사 자신 분야 강의를 공부를 하지 않는 강사.

지금 빠르게 변하는 시대에 어떤 분야든 새로운 것이 생기고 사라지며 변하는데 몇 년 전에 했던 강의 내용으로 시대에 뒤떨어지는 내용으로 사람들 성향에 맞지 않는 강의 내용으로 강의하는 강사

4. 언행일치를 하지 않는 강사

강의 때만 이렇게 "해야 된다. 변화해야 한다. 노력해야 된다. 공부해야 된다. 겸손해야 한다."라는 말만 하고 강사 자신 생활 속에서는 하지 않고 일반 사람들처럼 똑같이 행동하는 강사. 강사는 준 공인이다. 강의 한 데로 살지 않으면 강의하지 않는 거와 같다. 강사가 먼저 보여 줘야 한다.

5. 시기, 질투, 삐짐, 감정컨트롤을 못하는 강사.

강사 5년 차가 강사 1년 차를 보고 시기, 질투하고 잘 삐지며 감정컨트롤이 되지 않아 표정관리 못하고 말을 함부로 하는 강사. 강사 10년 차가 강사 5년 차를 보면서 자신 밥그릇 뺏길까봐 이간질하고 어떡해서든 뒤담화 해서 주위 사람들 자신 편으로 만들려는 강사. 자격지심, 열등감이 많고 자존감, 멘탈이 낮아서 다른 강사가 강의 잘하는 거 같으면 자책하고 마인컨트롤이 되지 않아서 지금 자신이 해야 할 것을 못하는 강사.

학습자보다 강사가 자존감, 멘탈이 높아야 되지 않는가? 어떻게 강사가 학습자보다 자존감, 멘탈이 낮아서 학습자가 강의 중간중간에 시비 거는 말투에 자존감, 멘탈이 나가는가? 강사여 자존감, 멘탈 학습, 연습, 훈련을 학습자보다 더 해야 한다. 강의 준비는 당연히 해야 하고 강사 자존감, 멘탈 학습, 연습, 훈련은 필수인데 강사 자체가 자존감, 멘탈 공부를 어떻게 하는지 모른다. 강사 나이가 40대, 50대, 60대... 라면 나이에 맞는 자존감, 멘탈이 높아야 하는데 자존감, 멘탈이 낮아서 표정, 말투, 행동에서 보인다면 가장 쪽팔리고 자존심 상하는 것이다.

6. 자신 강의 내용이 뻔한 내용인지, 신선한 내용인지, 학습자들이 많이 알고 있는 내용인지, 학습자들이 모르

고 있는 내용인지 모르는 강사(대상 파악을 전혀 못하는 강사) 강사 일을 생각 없이 하는 강사가 많다. 직업군별 심리, 학습자별 심리에 맞춰 강의 주제가 같더라도 예시, 스토리텔링 등이 달라야 하는데 직업군, 학습자 심리를 전혀 생각하지 않고 자주 하던 강의에 맞춰서 강의 하는 강사. 자신의 강의를 학습자에게 필요한 강의 스타일을 맞춰서 강의를 해야 하는데 "학습자가 강사에게 무조건 맞춰야지"라는 태도로 강의하는 강사.

노년층 강의 내용을 젊은 층에 가서 그대로 강의하는 강사. 학생 강의를 성인층에 그대로 강의하는 강사. 그래서 프로필에서 학생 강의를 많이 하는 강사 같으면 성인 강의를 의뢰하지 않는다. 성인 강의를 많이 하는 강사 또한 학생 강의를 의뢰하지 않는다. 강사 경력이 5년 이상이라면 학생 강의 분야로 갈 것인가 성인 강의 분야로 갈 것인가 확실히 방향을 잡고 집중해야 한다.

한 분야에 집중해도 될까 말까 인데 "강의가 없어서 들어오는 데로 합니다. 강사 10년 차인데 학교 강의(1시간 강사료 3만 5천 원 ~ 10만 원)라도 가야죠."라는 태도로 한다면 강사료를 올릴 수 없고 강사 20년 차 되더라도 강사 몸값이 20만 원을 넘지 못한다. 20,000명 심리 상담, 코칭으로 알게 된 강사 현실은 냉정하다는 것을 알았다. 정신 바짝 차려라! 직장이 전쟁터면 강사 직업, 프리랜서는 지옥이다.

내공이 느껴지지 않는 강의를 듣는 청중들의 평균 심리. "뻔한 내용, 강의, 이런 내용의 강의는 나도 강의할 수 있겠다. 재미도 없고, 스토리도 없고, 메시지도 없고... 강사 개나, 소나, 닭이나 다 하는구만. 주제에 깊이도 없고 신선함도 없으며 거기서 거기인 강의... 시간이 아까워서 더 이상 듣기 싫다."

내공이 느껴지는 강의를 듣는 청중들의 평균 심리. "기존에 알고 있는 내용인데 새롭게 느껴진다. 다른 관점으로 보게 만드는 강의 스킬 대단하다. 이 강사 강사료 따로 챙겨주고 싶을 정도의 가치를 느낀 강의다. 어떻게 저런 생각을 할 수 있을까? 깊이가 다르고 통찰력이 있는 강사다. 지금까지 수 십 번 비슷한 강의를 들었지만 차원이 다른 강의다. 즐거움, 메시지, 스토리텔링, 감동, 실천 동기부여 도구까지 주는 1+4를 가져가는 가성비 강사, 시간 가는 줄 몰랐네. 더 듣고 싶은 강의다."

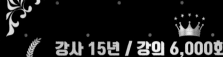

1. 가성비 강사 (1+4)

**강의 시간 속에 즐거움, 메시지, 스토리텔링,
감동, 실천 동기부여를 해주는 강사**

경기가 어려우면 교육을 의뢰하는 업체들은 <u>이벤트, 교육 예산을 가장 먼저 비용 절감</u>한다. 그래서 교육담당자들은 <u>1명의 강사비로 5가지의 교육효과</u>를 보고 싶어 한다. 한 번 교육 속에 즐거움, 메시지, 스토리텔링, 감동, 실천 동기부여를 해주는 가성비 강사를 선호한다. <u>가성비 강사는 시대 흐름이 되었다.</u> 학습자들은 강의, 교육을 수 십 번 듣다 보니 <u>일방적인 이론 교육만 하는 강의, 교육을 싫어</u>한다. 가성비 강의를 하지 못하는 강사는 살아남지 못한다.

| Google 자기계발아마존 | ▶YouTube 방탄자기계발 | NAVER 방탄자기계발사관학교 | NAVER | 최보규 |

2. 스펙, 강사료 값어치를 하는 강사

**지금까지 들었던 강사와 다른 내공, 가치, 값
어치가 다르게 느껴지는 강사**

프로필에 있는 스펙은 1시간에 100만 원 강사
비를 받는 자격은 되는데 강의 내용이 10만 원
강사보다 못한 강의를 하는 강사들이 많다. 한
마디로 스펙, 강사료 값어치를 못 하는 강사가
많다는 것이다. 학습자가 강의를 들었을 때 "이
런 강의는 나도 하겠다. 뻔한 강의, 차별화가 없
는 강의, 신선함이 없는 강의, 강의 듣는 시간에
잠이나 자는 게 낫겠다. 이런 내용으로 하는 강
의라면 강사 개나 소나 다하겠다."라는 마음을
들게 하면 최악의 강사다.

강사 15년 / 강의 6,000회를 통해 알게 된
교육 담당자, 학습자가 바라는 강사

Google 자기계발아마존 　▶YouTube 방탄자기계발 　NAVER 방탄자기계발사관학교 　NAVER 최보규

2. 스펙, 강사료 값어치를하는 강사

지금까지 들었던 강사와 다른 내공, 가치, 값
어치가 다르게 느껴지는 강사

학습자가 강의를 들었을 때 "전에 비슷한 강의
수십 번 들었지만 이강사는 다르다. 프로필에 나
온 스펙, 타이틀 값어치를 하는 강사다. 다시 듣
고 싶게 하는 강의 내용이다. 강의 내용이 너무
좋아서 강사료를 더 챙겨 주고 싶게 만든다.
학습자를 사랑하는 마음이 느껴지는 강의다. 이
런 강의는 10시간도 듣고 싶다."라는 마음을 들
게 하는 강사가 가성비 강사이고 스펙, 강사료
값어치를 하는 강사이다. 강사가 스펙 값, 타이
틀값, 경력 값을 하는 건 당연한 것이다.

3. 실천할 수 있는 강의 사용 설명서를 주는 강사

강의 때 배운 것들 강의 끝난 후 활용할 수 있는 사용 설명서(도구)를 주는 강사

20,000명 심리 상담, 코칭 하면서 알게 된 것은 사람의 심리는 1시간 교육, 강의를 듣더라도 90%는 잊어버리고 10%만 기억을 한다. 10%를 기억하는 사람들 중에 실천하는 사람은 0.1%도 되지 않는다. 아무리 강의, 교육이 좋아도 기억이 나지 않는데 어떻게 생활 속에서 실천을 하겠는가? 돌아서면 다 잊어버리기 때문에 교육, 강의가 끝난 후에도 실천할 수 있는 매개체를 주어야 한다. 눈에 보여야 실천 확률이 높기에 시각적인 실천 동기부여 도구를 주어야 한다. 학습자들이 가장 바라는 것은 교육, 강의가 끝난 후에도 생활 속에서 실천 할 수 있게 해주는 것이다.

강사 15년 / 강의 6,000회를 통해 알게 된
교육 담당자, 학습자가 바라는 강사

Google 자기계발아마존　▶YouTube 방탄자기계발　NAVER 방탄자기계발사관학교　NAVER 최보규

1. 가성비 강사 (1+4)
강의 시간 속에 즐거움, 메시지, 스토리텔링,
감동, 실천 동기부여를 해주는 강사

2. 스펙, 강사료 값어치를하는 강사
지금까지 들었던 강사와 다른 내공, 가치, 값어
치가 다르게 느껴지는 강사

3. 실천할 수 있는
강의 사용 설명서를 주는 강사
강의 때 배운 것들 강의 끝난 후 활용할 수 있는
사용 설명서(도구)를 주는 강사

Google 자기계발아존　 YouTube 방탄자기계발　NAVER 방탄자기계발사관학교　NAVER 최보규

1. 가성비 강사가 되기 위해 강사 15년간 2,000권 독서 / 7,000개 메모 / 자기계발서 150권 출간을 통한 메시지, 스토리텔링 강의.

2. 학습자가 봤을 때 "이런 강의는 나도 하겠다."라는 말을 듣지 않고 쓰리 값(나이값, 스펙값, 강사료값)어치를 하기 위해서 **강사 11계 명 실천**으로 80억 분의 1 검증된 전문가 다운 강의를 하는 강사.

3. 교육, 강의가 끝난 후에 생활 속에서 실천 동기부여를 할 수 있는 **도구, 사용 설명서**(강사 사비 제작)를 통해 변화, 성장할 수 있게 해주는 강사.

20,000명 심리 상담, 코칭을 통해 알게 된
일반인, 강사, 리더, CEO, 은퇴자, 프리랜서가 바라는 **코칭 전문가**

1. 가성비 코칭

변화, 성장, 자신 분야 연결을 통해 제2수입,
제3수입 까지 발생시킬 수 있는 코칭

대부분 사람들이 자신 분야 스펙, 경력과 무관한 새로운 분야 코칭을 받고 새로운 분야를 만들려고 한다. 그러다 보니 힘들고 어려운 것이다. 자신 분야 스펙, 경력과 연결시킬 수 있는 분야 코칭을 받는다면 좀 더 수월할 것이다. 지금 시대는 한 분야 전문성으로는 힘든 시대이기에 자신 분야 스펙, 경력을 살려서 수입을 창출할 수 있는 방법이 아닌 기술력을 배울 수 있는 가성비 코칭을 원한다. 방법을 배우면 3개월 밖에 안가지만 기술력을 배우면 100년 간다.

| Google 자기계발아마존 | ▶YouTube 방탄자기계발 | NAVER 방탄자기계발사관학교 | NAVER 최보규 |

2. 시간, 돈 낭비를 하지 않는 코칭

검증이 되지 않는 코칭에 속아 시간과 돈 낭비를 줄여서 빠른 수입 창출 코칭

방탄book기술력 코칭을 하다 보면 대부분 사람들이 처음 코칭 받는 사람은 드물고 여러 번 코칭을 받으면서 시간, 돈 낭비를 하고 난 뒤에 방탄book기술력 코칭을 받는다. 여러 코칭을 받으면서 수백만 원 ~ 수 천만 원을 투자했는데도 제대로 수입을 창출하지 못했다고 하소연하는 사람들이 많다. 속된 말로 혹하는 말에 속아 시간, 돈 낭비를 했다는 것이다. 지금 시대 검증 안된 전문가(사기꾼)들이 너무 많다. 시간, 돈 낭비를 줄이기 위해서는 표면적으로 검증할 수 있는 검증된 전문가인지, 시스템이 있는지 확인을 해야 한다. 예시) 박사, 10권 이상 전문 서적, 특허청 등록...등

3. 코칭, PT 받은 후
A/S, 피드백, 관리를 해주는 코칭
혼자 스스로 할 수 있을 때까지, 자리 잡을 때까지
멘토가 되어 주는 코칭

코칭 받기 전에는 속된 말로 간, 쓸개 다 빼준다는 말로 혹하게 하여 교육, 코칭을 듣게 한다. 교육, 코칭 끝나면 혼자서 알아서 하라는 식으로 나 몰라 한다. 이런 교육, 코칭이 90%이다. 당연히 교육, 코칭의 기본 전제는 자신이 배운 것을 토대로 스스로 끊임없이 학습, 연습, 훈련을 해야 하지만 스스로 혼자 할 수 있을 때까지는 어느 정도 전문가의 케어가 필요한데 안타깝게도 현실은 그렇지 않다. 교육, 코칭 받을 때는 언제든지 전화하면 피드백 해준다는 말을 하면서 정작 전화하면 안 받거나 피한다. 방탄book기술력 교육, 코칭 받는 사람들 100%가 놀라는 것이 150년 a/s, 피드백, 관리에 놀란다. 자립할 때까지 케어해주고 인연이 되어 준다.

81

20,000명 심리 상담, 코칭을 통해 알게 된
일반인, 강사, 리더, CEO, 은퇴자, 프리랜서가 바라는 **코칭 전문가**

Google 자기계발아존	▶YouTube 방탄자기계발	NAVER 방탄자기계발사관학교	NAVER 최보규

1. 가성비 코칭

변화, 성장, 자신 분야 연결을 통해 제2수입,
제3수입 까지 발생시킬 수 있는 코칭

2. 시간, 돈 낭비를 하지 않는 코칭

검증이 되지 않는 코칭에 속아 시간과 돈 낭비
를 줄여서 빠른 수입 창출 코칭

3. 코칭, PT 받은 후
A/S, 피드백, 관리를 해주는 코칭

혼자 스스로 할 수 있을 때까지, 자리 잡을 때까
지 멘토가 되어 주는 코칭

최보규 전문가의 **차별화 코칭(PT)이 아닌** ★★ **초월 코칭(PT)**

1. 가성비 코칭을 해주기 위해서 자신 분야와 6가지 수입 창출하는 방법을 연결시킬 수 있는 기술력을 체계적으로 교육하는 코칭.

2. 특허청 등록: 제 40-2072344 호 [최보규 자기계발코칭 창시자] 매뉴얼, 시스템이 검증된 전문가로서 시간과 돈 낭비를 줄여주는 코칭.

3. 청출어람 사명감으로 150년 A/S, 피드백, 관리를 해준다는 우주 최강 책임감으로 멘토가 되어주는 코칭.

7. 교수, 선생님처럼 이론 수업을 하는 강사

(오해하지 말고 봤으면 한다. 교수, 선생님 스피치를 무시하는 게 아니다.)

교수, 선생님들은 시험, 학점을 때문에 하루하루 진도를 나가야 되는 직업이다. 그래서 이론적인 수업 위주로 흥미, 호기심, 즐거움, 메시지, 스토리텔링...보다는 진도를 빼기 위한 이론 수업을 할 수 밖에 없는 직업이다.

강사들은 1시간 ~ 2시간 안에 모든 것을 전달해야 한다. 강사료를 받으면 강사료 값어치를 해야 한다, 하지만 강의 스킬, 내공이 없으니 강의를 하는 것이 아니라 수업을 해버린다. 그래서 강의가 지루하고 따분하며 강의가 거기서 거기라고 말이 나오는 것이다.

8. 강사 경력, 강사 이력, 강사 스펙, 강사 실력, 강사 내공이 없으면서 강사료를 많이 받고 싶어 하는 강사.

평균적으로 한 달에 1시간 강의, 10만 원 이하 강의를 10건 이상 한다면 10만 원 이하 강사이다.

모든 것을 강사료로 강사 몸값을 판단을 할 수는 없지만 극단적으로 말을 하면 많이 받는 강사료 수준이 강사 몸값이라는 것이다. 하지만 90%의 강사들이 10만 원 이하 강의를 하면서 50만 원 강의, 100만 원 강의를 하고 싶어 한다. 10만 원 이하 강의만 10년째 하면서 어떻게 50만 원, 100만 원 강의를 할 수 있다고 말하는가? 어디서 근자감(근거 없는 자신감)이 나오는지 대단하다.

강사료를 적게 준다고 탓하기 전에 자신이 강사료 50만원, 100만 원 받을 수 있는 자격이 있는지 생각하고 그에 맞는 능력을 키워야 한다. 강사료 50만 원, 100만원 받을 수 있는 스펙도 되지 않으면서 강의 내공도 없으면서 자신 주제 파악도 안 되면서 학습자에게는 "능력을 키워야 한다."라는 강의를 하는가? 제발 정신 좀차려라! 필자의 멘티였으면 3시간 정신 교육 받았을 것이다. 이 글을 보는 강사 양성교육을 하는 강사라면 제발 강사 인성에 신경 썼으면 좋겠다.

나쁜 강사는 없다! 강사 양성교육을 제대로 하지 않고돈만 벌기 위해서 강사 양성교육하는 나쁜 강사만 있다. 나쁜 견주는 없다! 댕댕이, 냥냥이를 위해 공부하지 않아서 나쁘게 키우는 보호자만 있다.
나쁜 직원은 없다! "위치가 사람을 만드는 거야"라는 태도로 리더십이 알아서 생기는 줄 알고 리더십 학습, 연습, 훈련을 하지 않는 나쁜 리더만 있다.
지금 시대는 위치가 사람을 만드는 것이 아니라 리더십학습, 연습, 훈련하지 않으면 위치가 사람을 망친다는것을 명심하자!

강사 인성을 매뉴얼이 없는가?

강사 인성 매뉴얼 사용 설명서 코칭을 받아야 한다. 강사 직업의 시작은 강사 인성에서부터 시작된다. 강사 인성 매뉴얼 교육, 코칭을 할 줄 알면 강사 양성교육 분야에서 만큼은 강사의 신이 된다. 단언컨대 대한민국에서 강사 인성 매뉴얼 사용 설명서를 교육, 코칭 하는 사람은 최보규 방탄강사 코칭전문가 뿐이다.

방탄강사 코칭 할 때 강사 인성 11계명을 설명하면서 늘 하는 말이 있다. 강사는 준 공인이다. 강의 때만 멋져 보이고 대단해 보이는 사람이 아닌 강사 생활 속에서도 주위 사람들에게 만나는 사람들에게 SNS 속에서도 "강사님은 제가 좋은 사람이 되고 싶도록 만들어요." 라는 말을 들을 수 있는 강사가 되어야 한다. 이것이 강사의 사명이고 강사의 삼성(진정성, 전문성, 신뢰성)이다. 강사들 SNS만 보더라도 그 강사가 자신 분야 강의를 삼성(진정성, 전문성, 신뢰성)으로 하는지 안하는지 보인다.

9. 책을 안 보는 강사

방탄강사 코칭을 할 때 1,000명이면 1,000명에게 늘 질문받는 게 있다. "최보규 방탄강사 코칭전문가님 강의 내공을 어떻게 쌓아야 되는지요."

곰곰이 생각해 보자. 내공이 무엇인가? 그 분야에 깊이, 숙성, 자신 분야 목표, 자신 분야 방향, 꿈, 이루고 싶은 것, 다르게 보는 관점, 남과 다른 방향 제시, 남과 다르게 이해시키는 능력, 자신감 넘치는 눈빛, 밝은 표정, 자기관리로 인해서 나오는 이미지, 생동감 넘치는 표현력, 삼성(진정성, 전문성, 신뢰성)이 느껴지는 스피치, 두루뭉술하게 말하는 것이 아니라 머리에 그림이 그려지게 하는 표현력, 자신 전문 분야 2 ~ 3권 책 출간... 등을 내공이라고 말하고 싶다.

강사가 강의 내공을 쌓기 위한 여러 가지 행동들의 시발점은 책 읽기라는 것이다.

독서와 강의 내용 질은 비례한다. 독서와 강의 내공은 비례한다. 당연한 결과이다. 책을 많이 보는 강사와 책을 안 보는 강사의 강의를 10분만 들어봐도 알 수 있다. 책을 안 보는 강사들은 공식처럼 PPT 교안만 보고 앵무새처럼 강의를 한다. 책을 보지 않으니 새로운 것이 나올 수가 없다. 새로운 강의 교안을 만들지 않으니 강의 PPT 교안 또한 재탕, 3탕, 4탕, 5탕, 탕탕탕... 10년 동안 교안이 바뀌지 않는 것은 당연한 것이다. 강의 교안이 10년 동안 바뀌지 않는다고 강사 일을 못하는 건 아니다. 하지만 강사료를 올리려면 하던 방식으로 하면 안 된다는 것이다. 책을 무조건 본다고 강사 내공이 생기고 강사료를 올릴 수 있는 스펙이 만들어지는 것은 아니지만 강사 내공을 쌓고 강사료를 50만원, 100만원, 200만 원 올렸던 강사들은 책을 99% 본다는 것을 명심하자.

책을 보면 강사료가 올라가서 꿈을 이루고 메모를 하면 현실이 된다. 그 결과를 이미지로 확인하길 바란다.

검증된 코칭전문가

특허청 등록
최보규 강사책출간 코칭전문가
등록 번호: 제 40-2200794 호

특허청 등록
최보규 자기계발코칭 창시자
등록 번호: 제 40-2072344 호

특허청 등록
최보규 리더동기부여 코칭전문가
등록 번호: 제 40-2128786 호

※ 상표 및 상호를 무단 도용할 경우
[특허법]에 의해 1억 원 이하의 벌금, 7년 이하의 형사처분을 받을 수 있습니다.

책150권 출간   상담 17,000회   코칭 13,000회   강의 경력 6,200회

방 탄
book 기술력
전문가

명품
동기부여

명품
자기계발

N 최보규

네이버 인물정보 등록 34만 명! (2016년 기준)
대한민국 1% 미만 "네이버 명예의 전당" 인물정보 등록!

전체   프로필   최근활동   도서

프로필   →

소속	방탄자기계발사관학교/방탄북 (BOOK)출판사(대표)
수상	2016년 제1회 세계를 빛낸 천 사상 대상
경력	방탄자기계발사관학교/방탄북 (BOOK)출판사 대표
	방탄자기계발사관학교 대표
	2012.05~2016.06 사랑의전화 전화상담 자원 봉사자
	2014.11 행복사관학교 대표
사이트	유튜브, 블로그, 네이버TV, 페이스북, 공식홈페 이지
작품	★ 도서 108건, 관련활동

95

10. 현실은 점점 어려워지는데 탓만 하며 준비를 하지 않는 강사.

지금 3고(고금리, 고환율, 고유가)시대, AI 시대, 챗 GPT 시대... 빠르게 변하는 시대 속에서 삶이, 인생이, 금전적으로 더더더더더 어렵고 힘들어지는 시대에 살고 있다. 한마디로 한 분야 전문성으로도 힘든 시기다. 강사 직업만으로는 힘든 시기인데 강사료 탓, 코로나 탓, 전쟁 탓, 나라 탓, 정치인 탓, 물가 탓, 부모 탓, 남편 탓, 아내 탓, 자녀 탓, 스펙 탓, 돈 탓... 등 탓만 하면서 강사 직업을 다른 분야와 연결시켜 수입을 발생시키려는 준비, 행동을 하지 않는 강사.

강사 직업으로만 살아가기가 힘든 시대다. 강사 직업을 떠나서 모든 직업군들이 마찬가지 일 것이다. 이런 환경에서 누군가는 탓만 하면서 하루살이 인생처럼 마지못해 살고 누군가는 강사 직업과 6가지 수입을 창출하는 연결 고리를 만들어 강사 직업을 극대화하고 있다.

강사여 정신 차리자! 자극이 필요한 모든 사람들 정신 차리자! 지금이라도 늦지 않았다. 이 책을 보고 있는 강사? 일반 사람? 리더? 한 분야 전문가? 프리랜서?... 천재일우가 온 것이니 이 책에서 알려주는 방법, 방향 제시를 자신 분야와 접목시켜 시작하면 된다.

혼자 하기 힘들다면 150년 함께해주는 최보규 방탄강사 코칭전문가와 함께 하면 된다. 지금 바로 상담받길 바란다. <최보규 방탄강사 코칭전문가 010-6578-8295>
또 이런 생각을 하고 있을 것이다.

"전화번호 저장해 두었다가 내일 상담 받아야지? 다음에 받아야지?"라는 말을 하는 순간 당신은 당신의 게으름에 졌고 영원히 상담을 받지 않을 것이다. 지금처럼 살 거면 책 덮고 잠이나 자는 게 낫다. 지금부터 살 거면 지금 상담 받길 바란다.

*강의 내공이 있는 강사들 유형
- 긍정적인 사람이 되는 것보다 부정적인 사람이 안 되는 게 1,000배를 효과가 좋다. 한마디로 강의 내공이 없는 강사들 유형 10가지를 하지 않으면 되는 것이다.
강의 내공이 없는 강사들 10가지 유형을 하지 않기 위한 학습, 연습, 훈련하고 싶다면 방탄강사 코칭을 받길 바란다. 강사들의 방탄강사 멘토가 되어 150년 A/S, 관리, 피드백 해주겠다.

슬라이드 노트에 슬라이드 내용 설명을 잘 쓰려면 강의 내공이 있어야만 머리에 그려지는 설명을 잘 쓸 수 있다는 것이다.

다음으로 나오는 방탄동기부여 강의, 교육, 코칭 목차1 ~ 목차5 에 있는 슬라이드 설명을 한글(HWP) 원고로 작업했던 것을 참고하면 책 내용은 어떻게 써야 되는지 감이 올 것이다.

방탄 동기부여 목차 1

**동기부여
고.틀.선.편 깨기**
고정관념, 틀, 선입견, 편견

자기계발, 동기부여책 200
권, 영상 300개, 교육을 들
어도 자기계발, 동기부여가
안 되는 이유?

---

1 자기계발, 동기부여 책 200권, 영상 300개, 교육을 들어도
자기계발, 동기부여가 안 되는 이유?

-상담 스토리
자기계발 책 200권 이상을 보고 유튜브 동기부여, 자기계
발 영상 300개 이상 봤습니다. 유료 자기계발 교육, 영상들
도 많이 봤습니다. 느낀 만큼 실천 동기부여가 안 돼서 시
간, 돈 낭비한 거 같고 언제까지 해야 하는지 답답하기만 하
고 후회스럽습니다. 어떻게 하면 0.1%라도 느낀 만큼 행동
을 할 수 있는지요?

- 정리 -

자기계발, 동기부여
책, 영상, 교육을 들어도 그때뿐이다.
하나라도 실천이 안된다.

어떻게 하면 0.1%라도 느낀 만큼
행동을 할 수 있을까?

① 자기계발, 동기부여 책 200권, 영상 300개, 교육을 들어도
자기계발, 동기부여가 안 되는 이유?

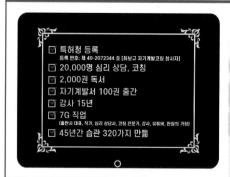

☑ 특허청 등록
등록 번호: 제 40-2072344 호 [최보규 자기계발코칭 창시자]
☑ 20,000명 심리 상담, 코칭
☑ 2,000권 독서
☑ 자기계발서 100권 출간
☑ 강사 15년
☑ 7G 직업
(출판사 대표, 작가, 심리 상담사, 코칭 전문가, 강사, 유튜버, 한집의 가장)
☑ 45년간 습관 320가지 만듦

15년간 20,000명
심리 상담, 코칭으로 알게 된
자기계발, 동기부여 비밀!

"세계 최초"
공개합니다!

- 상담스토리

최보규 방탄 리더 자기계발 전문가님! 저는 자기계발 책 200권 이상을 보고 유튜브 동기부여, 자기계발 영상 300개 이상 봤습니다. 시중에 있는 유료 자기계발 교육, 영상들도 많이 봤습니다. 볼 때만 느끼고 느낀만큼 실천 동기부여가 안 돼서 시간, 돈 낭비한 거 같고 언제까지 해야 하는지 답답하기만 하고 후회스럽습니다. 왜 나아짐이 없는지 이유를 알고 싶고 어떻게 하면 느낀만큼 0.1% 하나라도 실천할 수 있는 방법은 없는지요?
어떻게 하면 느낀만큼 행동으로 옮길 수 있을까요?

20,000명 심리 상담, 코칭 하면서 알게 된 것은 대부분 사람들이 늘 그때뿐이고 실천 동기부여가 안 돼서 돈과 시간을 낭비하고 있는 게 현실이다.

10개를 느꼈다면 하나라도 실천해야 하는데 왜? 왜? 왜? 실천 동기부여가 안 될까? 어떻게 하면 자기계발 실천을 잘 할 수 있을까? 필자도 리더 자기계발 전문가가 되기 전까지는 늘 그때뿐인 자기계발을 했었다.

"어떻게 하면 할 수 있을까?" 라는 태도로 45년간 리더 자기계발 습관 320가지! 20,000명 심리 상담, 코칭! 리더 자기계발책 2,000권 독서! 자기계발 책 100권 출간으로 알게 된 리더 자기계발, 동기부여 비밀을 세계 최초 오픈한다.

방탄 동기부여 목차 2

방탄 동기부여 초고속 충전 UP

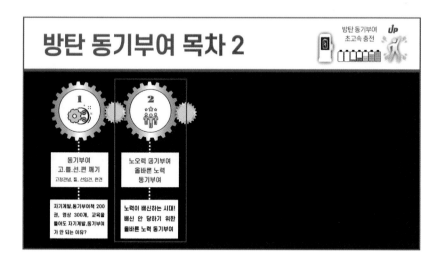

1 동기부여
고.틀.선.편 깨기
고정관념, 틀, 선입견, 편견

자기계발,동기부여책 200권, 영상 300개, 교육을 들어도 자기계발,동기부여가 안 되는 이유?

2 노오력 동기부여
올바른 노력
동기부여

노력이 배신하는 시대!
배신 안 당하기 위한
올바른 노력 동기부여

---

② ## 노오력 동기부여가 아닌 올바른 노력 동기부여
노력이 배신하는 시대! 배신 안 당하기 위한 올바른 노력 동기부여

방탄 동기부여 초고속 충전 UP

우리는 생일이 아닌 00을 축하합니다!
생일을 축하하지 않는 사람들?

- 스토리 텔링 -

백인 의사: 그럼 당신들은 무엇을 축하하나요?

우리는 나아짐을 축하합니다.
어제보다 오늘 더 작년보다 올해 더 성장했을 때,
우리는 그걸 축하합니다.
생일이라는 건 1년이 지나면 저절로
돌아오지만 한 사람의 성장에는 단순한
시간 이상의 노력이 필요한 거니까요.
작은 변화조차도 저절로 되는 게 아니죠.
그래서 우리는 생일이 아니라 성장을 축하합니다.

생일을 축하하지 않는 부족

가로 4,000km, 세로 3,200km, 총면적 768만㎢ 드넓은 호주 대륙을 걸어서 횡단하는 원주민이 있다. 그 어떤 음식도 물건도 없이 빈손으로 출발해 자연에서 모든 것을 얻어 생활하는 오스틀로이드 부족(그들은 스스로를 참사람 부족이라고 부른다) 그리고 그들에게는 남다른 풍습이 하나 있다.

바로, 생일을 기념하지 않는 것. 한 백인 의사가 그들과 함께 호주를 횡단하며 생일 파티에 대한 애기를 들려주었을 때 그들은 고개를 갸웃거렸다. 생일을 왜 축하하는 거죠? 축하는 특별한 일이 있을 때 하는 것 아닌가요? 의사는 대답했다.

한 생명이 태어났다는 사실은 축복받을 만한 일이니까요! 음, 탄생의 순간은 분명히 특별하죠. 그런데, 나이를 먹는 것도 특별한 일일까요? 나이를 먹는 데는 아무런 노력도 필요하지 않잖아요. 그건 그냥, 저절로 되는 거죠. 의사는 자신도 모르게 고개를 끄덕였다. 나이가 들어가며 점점 더해지는 의무감에 마음이 무거워졌던 기억도 떠올랐다. 잠시 고민하던 의사는 그들에게 되물었다.

그럼, 당신들은 무엇을 축하하나요? 그들은 입 끝에 옅은 미소를 지으며 대답했다. 우리는 나아짐을 축하합니다. 어제보다 오늘 더 작년보다 올해 더 성장했을 때, 우리는 그걸 축하합니다. 생일이라는 건 1년이 지나면 저절로 돌아오지만 한 사람의 성장에는 단순한 시간 이상의 노력이 필요한 거니까요.

작은 변화조차도 저절로 되는 게 아니죠. 그래서 우리는 생일이 아니라 성장을 축하합니다. 크고 작음은 상관없습니다.
작은 변화라고, 작은 한 걸음이라도 상관없으니 여러분도 생일 말고 성장을 축하해 보세요. 고민 끝에 드디어 하고 싶은 일을 찾았다고 말하는 친구의 새로운 한 걸음을 축하하고 처음으로 혼자 심부름을 다녀온 막내의 용감한 한 걸음을 축하해 보는 거죠. 작은 한 걸음이더라도, 그 성장을 함께 축하해 본다면 매일 매일을 생일처럼 보낼 수 있지 않을까요?
<참사람, 오스틀로이드 부족의 이야기>
<유뷰브 열정의 기름붓기>

자기계발, 동기부여 하는 이유는 각자 다르지만 대부분 자기계발, 동기부여의 목적인 결과, 성공, 인정에 너무 집착하다 보니 꾸준히 못 하는 경우가 많다. 세상, 현실,

주위 사람들의 기준, 시선에 너무 의식한 자기계발, 동기부여가 아닌 사소한 것이라도 어제보다 0.1% 나아짐, 변화, 성장이 방탄자기계발, 방탄동기부여다. 이제는 자기계발, 동기부여도 자신의 만족으로만 끝나면 안 된다. 빠르게 변하는 시대, 흐름에 맞게 자신 분야+ 자기계발+ 삼성(진정성, 전문성, 신뢰성)+ 돈 연결(월세, 연금성 수입)+ 성장+ 변화+ 사람들에게 도움+ 함께 잘 살자가 융합이 될 수 있는 자기계발, 동기부여인 방탄자기계발, 방탄동기부여를 해야 한다.

② 노오력 동기부여가 아닌 올바른 노력 동기부여
노력이 배신하는 시대! 배신 안 당하기 위한 올바른 노력 동기부여

방탄 동기부여 **UP**
초고속 충전

노오력하면 대체되지만 <u>올바른 노력</u>하면 대체 불가능한 사람이 된다.

자신 분야 대체 가능한 사람!

자신 분야 대체 불가능한 사람!

---

 ② 노오력 동기부여! 올바른 노력 동기부여!

방탄 동기부여 **UP**
초고속 충전

나이는 노력 없이도 먹는다. 노오력 동기부여!

| 100일 | 13살 | 19살 | 23살 | 29살 | 45살 |

어제보다 0.1% 나음, 변화, 성장은 올바른 노력 동기부여!

| 0% | 0.1% | 1% | 5% | 10% | 30% | 35% | 50% | 70% | 80% |

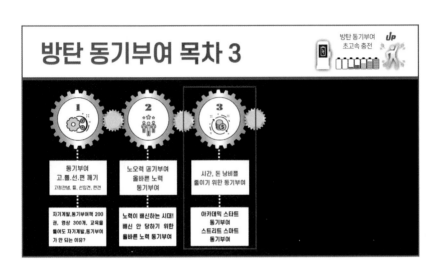

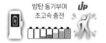
방탄 동기부여 **UP**
초고속 충전

	올바른 연애, 사랑 동기부여 **연애, 사랑 본질**
	올바른 인간관계 동기부여 **인간관계 본질**

평상시에 사랑받을 행동을
안 하는 사람은 사랑하는
사람이 생겨도 사랑받을 수가 없다.

내가 좋은 사람이 되기 위해
인간관계 학습, 연습, 훈련을
안 하면 좋은 사람이 생겨도
금방 떠나간다.

---

3 본질을 모르면 시간, 돈 낭비를 한다!

방탄 동기부여 **UP**
초고속 충전

	올바른 자기계발 동기부여 **자기계발 본질** **동기부여 본질**
	올바른 리더십 동기부여 **리더십 본질**

"어제 보다 0.1% 나은 사람이 되자."
라는 태도로 꾸준히
자기계발, 동기부여하지 않으면
시간, 돈 낭비를 한다.

경력, 나이를 내세우면서
시대에 맞는 리더십으로
업데이트하지 않으면
리더십이 아닌 꼰대십이 나온다.

인간이 하는 모든 것의 본질을 알아야만 노오력이 아니라 올바른 노력을 할 수 있다. 노력은 경험만 채우고 시간만 때우는 노력이다. 지금 시대는 노력이 배신하는 시대다.

올바른 노력은 어제보다 0.1% 다르게, 변화, 나음, 성장하는 것이다.
인생의 모든 본질은 정답이 없지만 기본을 지키지 않으면 결과가 나오지 않는다.

운동의 본질은 헬스, 운동의 기본기를 배우지 않는 사람이 좋은 헬스장으로 옮긴다고 헬스, 운동 습관이 만들어지는 것이 아니다.

직장의 본질은 월급 날짜만 기다리는 사람이 직장을 바꾼다고 일에 대한 의욕이 생기지 않는다.

사랑의 본질은 평상시에 사랑받을 행동을 안 하는 사람은 사랑하는 사람이 생겨도 사랑받을 수가 없다.

인간관계의 본질은 내가 좋은 사람이 되기 위해 학습, 연습, 훈련을 안 하면 좋은 사람이 생겨도 금방 떠나간다.

자기계발 본질은 "어제 보다 0.1% 나은 사람이 되자."라는 태도로 꾸준히 안 하면 시간, 돈 낭비를 한다.

리더십의 본질은 경력, 나이를 내세우면서 시대에 맞는 리더십으로 업데이트하지 않으면 리더십이 아닌 꼰대십이 나온다. 리더십의 본질은 리더 자존감, 리더 멘탈, 리더 습관, 리더 행복, 리더 자기계발에서 시작한다.

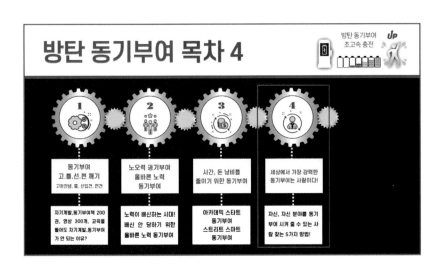

방탄 동기부여 목차 4

방탄 동기부여
초고속 충전 UP

1	2	3	4
동기부여 고.틀.선.편 깨기 고정관념, 틀, 선입견, 편견	노오력 동기부여 올바른 노력 동기부여	시간, 돈 낭비를 줄이기 위한 동기부여	세상에서 가장 강력한 동기부여는 사람이다!
자기계발,동기부여책 200 권, 영상 300개, 교육을 들어도 자기계발,동기부여 가 안 되는 이유?	노력이 배신하는 시대! 배신 안 당하기 위한 올바른 노력 동기부여	아카데믹 스타트 동기부여 스트리트 스마트 동기부여	자신, 자신 분야를 동기 부여 시켜 줄 수 있는 사 람 찾는 5가지 방법!

4 세상에서 가장 강력한 동기부여는 사람이다! 멘토의 중요성!

- 출처 <유튜브 터닝포인트 - 위대한 성공의 시작점>

111

타이로페즈(5만원으로 600억을 만든 사람)

타이로페즈는 미국의 사업가이자 강연가로 유명합니다. 그는 한화 오만원의 재산을 수백억대로 불렸고 그의 TED톡 영상은 수백만명이 봤습니다. 그런 그가 그 자리게 오를 수 있었던 가장 큰 이유 두가지를 공유합니다.

멘토가 필요하냐구요?

책을 읽어야하냐구요?

겁나 많은 의견들이 있어서 뭘 믿어야 할지 모르겠죠? 제가 한마디 하죠. 누군가가 저에게 해준 말인데 사람은 거짓말을 하지만 숫자는 진실을 말한다. 헷갈리면 숫자를 보세요. 내말을 듣지 말고 남들 말도 듣지 말아보죠. 그냥 숫자를 검색해 봐요. 겁나 쉽습니다. Forbes 리스트를 보세요. 세상 가장 성공한 기업가들 리스트죠. 그 사람들이 멘토가 있었을까? 책을 읽었을까? 내가 읽어줄게요. 그럼! 오마이갓! 내가 존경하는 사람들인데 리스트에 몇 명을 말해볼게요.

빌게이츠 멘토 = 책, Ed 로버츠

오프라윈프리 멘토 = 책, 메리던킨

스티브잡스 멘토 = 책, 로버트 프리드랜드

워렌버핏 멘토 = 책, 벤저민그레이엄

마이클조던 멘토 = 책, 필잭슨

마크저커버그 멘토 = 책, 스티브잡스

리스트에 모두가 멘토가 있었어요. 누가 누구의 제자였는지요. 작년에 코비 브라이언트랑 같이 앉아서 경기를 봤는데 그와 라커룸에서 대화를 했어요. 비디오로도 찍었는데 내가 물어봤죠. "코비, 너 멘토 있었어?" 바로 답하더군요. "타이, 멘토가 가장 중요해." 코비는 많은 부류의 멘토가 있더군요. 마이클 잭슨도 코비에게 조언을 해줬대요. 디즈니의 CEO를 멘토로 만나는 등 각기 다른 멘토들요. 알버트 아인슈타인도 마찬가지에요. 인류 역사상 가장 위대한 천재도 멘토가 있었어요. 십대 때부터 매주 목요일 멘토의 가족들과 함께 점심을 먹었죠. 대화하며 수학과 물리학을 배웠어요. 당신이 누군지 모르겠지만 저는 아인슈타인보다 똑똑하지 않아요.

만약 그들이 멘토가 필요했다면 저는 더욱 필요하다고 느껴요. 역사를 돌아봐도 마찬가지에요. 위대한 정복자 알렉산더 대왕도 멘토가 있었어요. 15세때 그의 아버지가 위대한 철학자 아리스토텔레스를 고용해 아들과 같이 여행해달라고 부탁하죠. 아리스토텔레스는 그렇게 그를 가르쳤어요. 아리스토텔레스의 놀라운 사실은 그는 철학자 프라토의 멘티였어요. 플라토는 소크라테스를 멘토로 두었죠. 연결고리가 보이시나요? 스티브 잡스도 멘토를 두고 있었지만 결국 자신도 누군가의 멘토가 되었죠. 멘토는 조언만 해주는 사람이 아니라 동기부여도 해

줍니다. 세계 최고의 기업들이 바로 이렇게 탄생했다구요. 학습의 방법은 단 두가지에요. 누군가에게 직접 배우던가 누군가가 쓴 책이나 영상으로 배우죠. 그게 다입니다. 한글, 수학 어떻게 배웠어요? 누워서 배워야지 생각만 하니까 배워졌어요? 누군가는 말하겠죠. "타이, 만약 멘토링과 책을 읽는데 행동을 안하면 어떻게 돼?"

당연히 행동도 해야죠. 지하방에 박혀서 책읽고 유튜브에 동기부여나 멘토 영상만 본다고 되겠어요? 하지만 한가지 더 열심히만 행동, 일하면서 똑똑하게 일하지 않으면 마찬가지로 얻는건 별로 없을겁니다.

예를 들어보면 누가 더 열심히 일할까요? 일용직 노동자와 스티브 잡스 혹은 일론머스크 중에서요. 물론 일용직 노동자는 꼭 필요해요. 그분들을 욕하는게 아닙니다. 하지만 성취한 수확물을 보면 열심히 보다 똑똑하게 일하는게 더 큽니다.

포브스 리스트를 봐요 최고 부자 리스트 아마존 창업자 제프베조스는 아이러니하게도 책관련 사업으로 시작했죠. 그는 책을 엄청 읽어요. 특히나 그의 샘월튼의 자서전은 거의 인생에 멘토가 되었고 얼마나 많이 읽었는지 페이지들이 다 낡았더군요. 제프는 세계 3위 부자에요. 나는 제프에게 상대가 안되죠. 그런데 그가 책과 멘토가 필요하면

나에겐 더 필요한 존재들이죠. 때로는 나도 일을 미뤄

요. 그리고는 읽는 책들 자서전들의 조언을 생각하죠. 혹은 직접 만나서 들은 조언들요.

일론머스크가 뭐라고 했는지 알아요? 제가 물었어요. "일론, 어떻게 스페이스 X를 창업했어?" "우주선 분야에는 경험도 없었잖아" "페이팔 경력밖에 없었을 텐데" 그가 대답하길 "책으로 다 배웠어." "수 많은 책을 읽었지."

이렇듯 책은 비대면 멘토에요. 사람이 아니니까요. 하지만 효과는 동일합니다. 그 책의 작가가 멘토가 되는거에요. 나는 알아. 모두가 스티브잡스가 되길 원하진 않겠죠. 아인슈타인처럼 될 필요는 없어요. 제가 하는 말은 그게 아니라 나는 뭘 배우더라도 큰 일을 해낸 사람에게 배우고 싶은 거에요. 당신이 정하세요. 누구에게 배우고 싶은 지를요. 저에 경우는 꼭대기에 있는 사람들이죠. 그리고 위대한 사람들은 항상 위대한 멘토를 가졌죠. 그리고 그들은 책을 읽어요. 마크 큐반이 제 집에서 해준 말이에요. 그는 샤크탱트라는 회사의 CEO이자 억만장자입니다. 제가 묻길 "마크, 너 책 많이 읽어?" 그는 "타이, 너 그거 알아?" "내가 LA공항에 지금 날 기다리는 전용기를 산 이유가 바빠서 못했던 독서를 누구의 방해도 받지 않고 더 하기 위해서야"

마크가 500억 짜리 전용기를 산 이유가 책을 더 읽기 위해서 라구요. 워렌버핏도 비행기에 타면 아무도 말을 못걸게 한 대요, 독서하려고 사람과 다르게 숫자는 거짓말을 안하다니까요. 열심히만 일하지 말고 똑똑하게 일하세요. 도구를 가지고 효율적으로 일하세요.

무엇이 빌케이츠를 16년 연속 세계 최고 부자로 만들었을까요? 그는 휴가를 독서하러 가고 그는 책이 주제인 블로그도 운영하죠. 그의 한마디가 정말 충격적이었는데 말하길 "나는 참 게을러요. 그래서 남들과 달리 머리를 써서 쉬운 방법을 찾죠. 그리고 가지고 싶은 슈퍼파워가 속독" 그가 시간을 쓰지 않는다는 게 아니에요. 시간은 무조건적으로 써지는 거죠. 하지만 시간을 쓰는게 목표가 아니라 적은 시간동안 많은 일을 끝내는거죠. 일은 반만 하는데 결과는 두배를 만드는 게 목표라는거에요. 그리고 그 방법은 단 한가지 머리는 써야하는 겁니다. 그게 당신을 위대하게 할거에요. 그러기 위해 위대한 멘토를 찾고 더 많이 읽는거죠. 내말 믿어요. 그리고 틀린지 시도해보세요. 못믿겠으면 직접 시도해보라니까요. 그리고 결과가 맘에 안들거나 도움 안되는거 같으면 그만두면 되죠. 각자 배우는 방식은 다를 수도 있느니까요. 하지만 열명 중 아홉의 위대한 사람들은 멘토가 있거나 책에서 멘토를 찾죠.

그러니까 믿져야 본전인거 확률을 믿고 해보세요. 멘토와 독서는 성공확률을 극대화시켜요. 이게 보증된건 아니죠. 왜냐하면 행동도 해야하니까요. 배운걸 써야 한다는 거에요. "그딴거 필요 없고, 내가 최고야?"라고 한다면 당신 겸손함에 문제가 있는거에요. 위인들이 필요한데 당신이 필요없다고? 아인슈타인도 멘토가 필요했고 뉴턴도 자기가 대단한 이유는 대단한 스승들이 있었기에 가능했다는데 음... 근데 당신이 멘토가 필요없다고? 말 안해도 미래의 통장잔고가 보이네요.

<유튜브 터닝포인트 – 위대한 성공의 시작점>

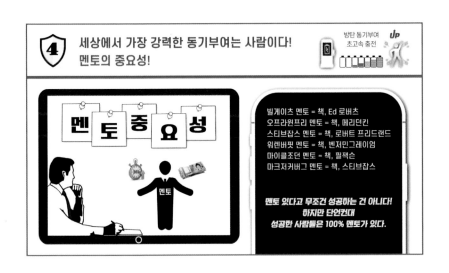

최보규 방탄동기부여 전문가의 멘토는 3명이다. 첫 번째 아내, 두 번째 책, 세 번째 자신 습관(최보규 습관 320가지)이다.

최보규 방탄동기부여 전문가의 첫 번째 멘토는 아내다.

최보규라는 사람을 가장 잘 아는 사람은 아내다. 내가 보지 못한 미세하고 디데일 함을 체크해주고 피드백 해준다. 그 누구도 할 수 없는 것을 그것도 공짜로 해주는 고마운 멘토다. "사랑하는 아내는 내가 좋은 사람(부모, 사위, 아들, 남편, 매형, 오빠, 형, 동생, 남자)이 되고 싶도록 만든다." 세상에서 가장 존경하는 멘토는 아내다.

말만 잘하는 사람이 아니라는 것을 증명하기 위해서 세계 최초로 만든 남편, 아내 13계명을 공개하고 클래스 101에서 검증한 방탄사랑(남편, 아내 13계명)사용 설명서 참고하길 바란다.

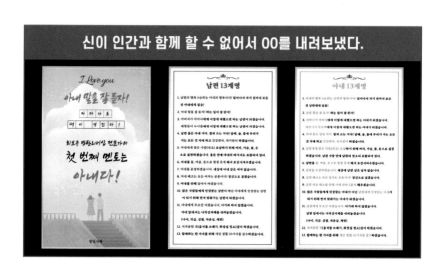

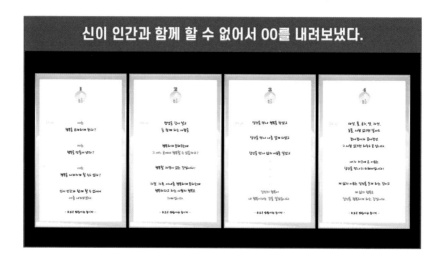

I Love you

아내 말을 잘 듣자!

자	다	가	도

떡	이		생	긴	다	!

최보규 방탄리더십 전문가의

첫 번째 멘토는

아내다!

방탄사랑

남편 13계명

1. 남편의 행복 0순위는 아내의 행복이다! 일어나서 자기 전까지 모든 것 아내에게 집중!

2. 아내 말을 잘 듣자! 하는 일이 잘 된다!

3. 아버지가 어머니에게 이렇게 대했으면 하는 남편이 되겠습니다. 매형들이 누나들에게 이렇게 대했으면 하는 남편이 되겠습니다.

4. 남편 몸은 아내 거다. 빌려 쓰는 거다! 담배, 술, 몸에 무리가 가는 모든 것 자제 하고 건강관리, 자기관리 하겠습니다.

5. 아내에게 받은 사랑(내조) 보답하기 위해 머리, 가슴, 몸, 돈 으로 실천하겠습니다. 용돈 안에 아내의 바가지도 포함되어 있다.

6. 아내를 몸, 마음, 돈으로 평생 웃게 해서 호강시켜주겠습니다.

7. 아내를 존경하겠습니다. 세상에 아내 같은 여자 없습니다.

8. 아내 빼고는 모든 여자는 공룡이다! 정신으로 살겠습니다.

9. 아내를 위해 앉아서 싸겠습니다.

10. 많은 사람들에게 인정받는 남편이 아닌 아내에게 인정받는 남편 이 되기 위해 먼저 맞춰가는 남편이 되겠습니다.

11. 아내에게 무조건 지겠습니다. 이기려 하지 않겠습니다. 아내 앞에서는 나직성자체를 내려놓겠습니다. (나이, 직급, 성별, 자존심, 체면)

12. 지저분한 것(음식물 쓰레기, 화장실 청소)같이 하겠습니다.

13. 함께하는 한 가지를 위해 개인 생활 10가지를 감수하겠습니다.

아내 13계명

1. 아내의 행복 0순위는 남편의 행복이다! **일어나서 자기 전까지 모든 것 남편에게 집중!**

2. 남편 말을 잘 듣자! **하는 일이 잘 된다!**

3. 어머니가 아버지에게 이렇게 대했으면 하는 아내가 되겠습니다.
   새언니가 친오빠에게 이렇게 대했으면 하는 아내가 되겠습니다.

4. 아내 몸은 남편 거다. **빌려 쓰는 거다!** 담배, 술, 몸에 무리가 가는 모든 것 자제 하고 건강관리, 자기관리 하겠습니다.

5. 남편에게 받은 사랑(외조) 보답하기 위해 머리, 가슴, 몸, 돈으로 실천 하겠습니다. 남편 사랑 안에 남편의 잔소리 포함되어 있다.

6. **남편을 몸**, 마음, 돈으로 평생 웃게 **해서 호강시켜주겠습니다.**

7. 남편을 존경하겠습니다. **세상에 남편 같은 남자 없습니다.**

8. 남편 빼고는 모든 남자는 공룡이다! **정신으로 살겠습니다.**

9. 남편 피로 해소를 위해 어깨 안마 5분씩 **해주겠습니다.**

10. 많은 사람들에게 인정받는 아내가 아닌 남편에게 인정받는 아내가 되기 위해 먼저 맞춰가는 아내가 되겠습니다.

11. 남편에게 무조건 지겠습니다. **이기려 하지 않겠습니다.**
    남편 앞에서는 나직성자체를 내려놓겠습니다.
    (나이, 직급, 성별, 자존심, 체면)

12. 지저분한 것(음식물 쓰레기, 화장실 청소)같이 하겠습니다.

13. 함께하는 한 가지를 위해 개인 생활 10가지를 감수하겠습니다.

Dear.   OO는

행복을 존재하게 한다?

OO는

행복을 만들어 낸다?

OO는

행복을 사라지게 할 수도 있다?

신이 인간과 함께 할 수 없어서

OO를 내려보냈다.

- 최보규 방탄사랑 창시자 -

2

Dear.

평생을 같이 살고
늘 함께 하는 사람을

행복하게 못해주는데
그 어느 곳에서 행복할 수 있을까요?

행복할 자격이 없는 것입니다!

가정, 가족, 아내를 행복하게 못하는데
행복하다고 하는 사람의 행복은
가짜입니다.

- 최보규 방탄사랑 창시자 -

3

Dear. 당신을 만나 행복을 찾았고

당신을 만나 나를 알게 되었고

당신을 만나 삶의 이유를 알았고

·

·

·

·

당신의 행복이
내 행복이라는 것을 알았습니다.

- 최보규 방탄사랑 창시자 -

4

Dear.

태양, 물, 공기, 땅, 자연,
동물, 사람 없으면 살아도

첫사랑이자 끝사랑인
그 사람 없으면 하루도 못 삽니다.

내가 지구에 온 이유는
당신을 만나기 위해서입니다!

제 삶의 이유는 당신을 웃게 하는 것이고

제 삶의 행복은
당신을 행복하게 하는 것입니다.

- 최보규 방탄사랑 창시자 -

Dear. 이 사람은 늘 감사, 긍정의 말
한마디 한마디가 저에 행복을 충전시켜줍니다.

이 사람은 꾸준한 자기관리하는 모습으로
저에 행복을 충전시켜줍니다.

이 사람은 부모를 챙기는 모습으로
저에 행복을 충전시켜줍니다.

.

무한 에너지인 태양광 에너지처럼
저에 행복을 무한 충전해 주는 사람!

아내는 가정의 행복을 지켜주는 유일한
행복 태양광 에너지!

- 최보규 방탄사랑 창시자 -

법적 부부의 날

【 혼인신고 20♥♥. ♥♥. ♥♥ 】

아내: ♥ ♥ ♥   ♥   남편: 최보규

가정의 행복 법(부부 13계명)을 지키기 위해

아내 ♥♥♥는
아내 13계명을 솔선수범하겠습니다.

남편 최보규는
남편 13계명을 솔선수범하겠습니다.

천년의 약속

♥ ♥ ♥ ♥ 최보규

세계 인구 78억 인구에서 둘이 만나
봄, 여름, 가을, 겨울을 지나
다섯 번째 계절인 사랑의 계절을 시작하려고 합니다.

미안해 보다는 고마워, 사랑해 말을 더 하겠습니다.

혼자 있는 시간보다는 함께 하는 시간을
더 만들겠습니다.

맞춰 주길 바라기보다는 맞춰 주기 위해
더 행동하도록 하겠습니다.

다섯 번째 계절인 사랑의 계절을 시작하는 첫날
♥ 기쁘게 축하해 주세요 ♥
사랑하며 예쁘게 살겠습니다!

【 다섯 번째 계절인 사랑의 계절 시작 20♥♥. ♥♥ . ♥♥ 】

방탄사랑은 스펙이다!

아내 **방탄 사랑** 남편

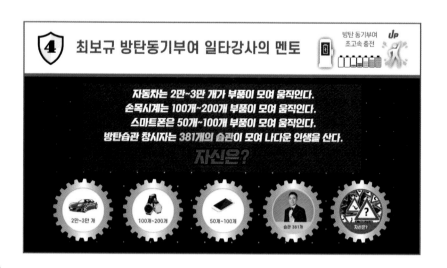

최보규 방틴동기부여 전문가의 두 번째 멘토는 책이다.

책은 사람이다. 비대면 멘토인 것이다. 생각하지 못한 것들을 알려 주고 하는 일에 목표, 방향을 다듬어 주는 멘토다. 세상에서 가장 저렴한 멘토인데 세상에서 가장 값진 것을 준다. 그래서 필자는 한 달에 15명(15권)멘토를 만나고 각 전문 분야 노하우를 배워 내 분야에 접목시켜 가치, 수입을 발생시킨다.

최보규 방틴동기부여 전문가의 세 번째 멘토는 자신(최보규 습관 381가지)습관이다.

습관분야 베스트셀러인 《나다운 방탄습관블록》 창시자로서 습관에 대해 한마디 하면 사람은 습관을 만들고 습관은 사람을 만들기에 자신 습관에 모든 답이 있다.
우울 한 사람은 우울한 습관 때문에 우울하고, 행복하지 않은 사람은 행복하지 않은 습관 때문에 행복하지 않는 것이다. 그래서 필자의 습관 381가지가 세 번째 멘토인 것이다.
최보규 방탄동기부여 전문가의 세 가지 멘토 활용 방법이 습관 381가지에 다 포함된다. 멘토 활용 방법 습관 381가지 벤치마킹해서 방탄동기부여 시작하길 바란다.

최보규 방탄동기부여 전문가의 습관 381가지 (2008년 ~ 진행 중)

1. 전신 장기기증
2. 유서 써놓기
3. 꿈 목표 설정
4. 영양제 챙기기
5. 꿀 챙기기
6. 계단 이용
7. 8시간 숙면
8. 취침 4시간 전 안 먹기
9. 기상 후, 자기 전 스트레칭 10분
10. 술, 담배 안 하기
11. 하루 운동 30분
12. 밀가루 기름진 음식 줄이기
13. 자극적인 음식 줄이기
14. 얼굴 눈 스트레칭
15. 기상 직후 양치질 물먹기
16. 기상 직후 양치질 물먹기
17. 물 7잔 마시기
18. 밥 먹는 중 물 조금만
19. 국물 줄이기
20. 밥 먹고 30후 커피 마시기
21. 기상 직후 책 듣기
22. 한 달 책 15권 보기
23. 책 메모하기
24. 메모 ppt 만들기
25. SNS 캡처 자료수집
26. 강의 자료 항상 찾기
27. 좋은 글 점심때 보내기
28. 사랑의 전화 봉사
29. 주말 유치원 봉사
30. 지인 상담봉사
31. 강의 재능기부
32. 사랑의 전화 후원
33. 강의자료 주기
34. TV 줄이기
35. 부정적인 뉴스 줄이기
36. 솔선수범하기
37. 지인들 선물 챙기기
38. 한 달 한번 등산
39. 몸에 무리 가는 행동 안 하기
40. 하루 감사 기도 마무리
41. 탄산음료, 과일주스 줄이기
42. 아침 유산균 챙기기
43. 고자세
44. 스마트폰 소독 2번
45. 게임 안 하기
46. SNS 도움 되는 것 공유
47. 전단지 받기
48. 긍정, 멘탈 사용설명서 도구 스티커 나눠주기
49. 학습자 선물 주기
50. 강의 피드백 해주기
51. 자일리톨 원석 먹기 하루 3개
52. 찬물 줄이고 물 미온수 먹기
53. 소금물 가글
54. 알람 듣고 바로 일어나기

최보규 방탄동기부여 전문가의 습관 381가지 (2008년 ~ 진행 중)

55. 오전 10시 이후 커피 먹기
56. 믹스커피 안 먹기
57. 강의 족보 주기
58. 강의 동영상 주기
59. 강의 녹음파일 주기
60. 블로그 좋은 글 나누기
61. 인스턴트 음식 줄이기
62. 아이스크림 줄이기
63. 빨리 걷기
64. 배워서 남 주자 실천(PPT)
65. 읽어서 남 주자 실천(책 속의 글)
66. 오른손으로 차 문 열기
67. 오손도손 오손 왼손 캠페인 전파하기
68. 운전 중 스마트폰 안 보기
69. 취침 전 30분 독서
70. 취침 전 30분 스마트폰 안 보기
71. 오늘이 마지막인 것처럼 섬기고 영원히 살 것처럼 배우기
72. 자존심 신발장에 넣어 두고 나오기
73. 내가 받은 상처는 모래에 새기고 내가 받은 은혜는 대리석에 새기기
74. 어제의 나와 비교하기
75. 어제 보다 0.1% 성장하기
76. 세상에서 가장 중요한 스펙? 건강, 태도 실천하기
77. 나방이 되지 않기
78. 마라톤 10주 프로그램 시작
79. 마라톤 5km 도전
80. 마라톤 10km 도전
81. 마라톤 하프 도전
82. 마라톤 풀코스 도전
83. 자기 전 5분 명상
84. 뱃살 스트레칭 3분
85. 아침 동기부여 사진 보내기 8시
86. 저녁 동기부여 사진 보내기 9시
87. 나의 1%는 누군가에게는 100%가 될 수 있다. 실천
88. 150세까지 지금 몸매, 몸 상태 유지 관리
89. 아침 달걀 먹기
90. 운동 후 달걀 먹기
91. 헬스장 등록
92. 오래 살기 위해서가 아니라 옳게 살기 위해 노력하는 사람이 되자
93. 남들이 하는 거 안 하기 남들이 안 하는 거 하기

94. 아침 결명자차 마시기
95. 저녁 결명자차 마시기
96. 폼롤러 스트레칭
97. 어제보다 나은 내가 되자
98. 남들이 안 하는 강의 분야 도전
99. 플랭크 운동
100. 스쿼터 운동
101. 계산할 때 양손으로 주고받고 인사
102. 명함 거울 선물 주기
103. 40살 되기 전 책 출간
104. 반 100세 되기 전 책 5권 집필하기
105. 유튜브[나다운TV] 강사심폐소생술
106. 유튜브[나다운TV] 나다운심폐소생술
107. 아.원.때.시.후.성.실 말 줄이기
108. 나다운 강사 책 유튜브 올려 함께 잘 되기
109. 리플렛으로 동기부여 시켜주기

110. 아침 8시 동기부여 메시지 만들어 보내기
111. 저녁 9시 동기부여 메시지 만들어 보내기
112. 어플 책 속의 한 줄에 책 내용 올리기
113. 책 내용 SNS 오픈
114. 3번째 책 원고 작업 시작
115. 4번째 책 자료수집
116. 뱃살관리 스트레칭 아침, 저녁 5분
117. 3번째 책 기획출판계약
118. 최보규강사관학교 시작
119. 최보규강사사관학교 지회 원장 임명
120. 올 노(올바른 노력)공식 오픈
121. 행복, 방탄멘탈 공식 자자자자멘금 오픈
122. 생화 네 잎 클로바 선물 주기
123. 세바시를 통해 극단적인선택 예방 전파!
124. 세바시를 통해 자자자자멘습금 사용설명서 전파!
125. 4번째 책 원고 시작 2021년 1월 출간 목표!
126. 전염성이 강한 상황 왔을 때 대처하기 위한 준비!
127. 코로나19 극복을 위한 공적 마스크 독고 어르신들 주기!

최보규 방탄동기부여 전문가의 습관 381가지 (2008년 ~ 진행 중)

128. 아내를 위해 앉아서 소변보기
129. 들어라 하지 말고 듣게 하자
130. 좋은 사람이 되지 말고 좋은 사람 되어주자.
131. 좋아하게 하지 말고 좋아지게 하자
132. 보여주는 (인기)인생을 사는 것보다
     보여지는 (인정)인생을 살아가자.
133. 나 이런 사람이야 말하지 않아도
     이런 사람이구나 느끼게 하자.
134. 마음을 얻으려 하지 말고 마음을 열게 하자.
135. 믿으라 하지 말고 믿게 하자
136. 나에 행복 0순위는 아내의 행복이다!
     일어나서 자기 전까지 모든 것 아내에게 집중!
137. 아내 말을 잘 듣자! 하는 일이 잘 된다!
138. 아버지가 어머니에게 이렇게 대했으면 하는 남편이
     되겠습니다. 매형들이 누나들에게 이렇게 대했으면
     하는 남편이 되겠습니다.
139. 내 몸은 아내거다. 빌려 쓰는 거다! 담배, 술, 몸에
     무리가 가는 모든 것 자제 하고 건강관리, 자기관리
     하겠습니다.
140. 아내의 은혜를 보답하기 위해 머리, 가슴, 몸, 돈으로
     실천하겠습니다!

141. 아내에게 받은 사랑(내조) 보답하기 위해 머리, 가슴, 몸, 돈
     으로 실천하겠습니다.
142. 아내를 몸, 마음, 돈으로 평생 웃게 해서 호강시켜주겠습니다.
143. 아내를 존경하겠습니다. 세상에 아내 같은 여자 없습니다.
144. 아내 빼고는 모든 여자는 공룡이다! 정신으로 살겠습니다.
145. 많은 사람들에게 인정받는 남편이 아닌 아내에게 인정받는
     남편이 되기 위해 먼저 맞춰가는 남편이 되겠습니다.
146. 아내에게 무조건 지겠습니다.
     이기러 하지 않겠습니다. 아내 앞에서는 나직성자체를
     내려놓겠습니다. (나이, 직급, 성별, 자존심, 체면)
147. 지저분한 것(음식물 쓰레기, 화장실 청소)다 하겠습니다.
148. 함께하는 한 가지를 위해 개인 생활 10가지를 감수하겠습니다.
149. 최강자 학습지 시작 (최보규의 강사학습지, 자기계발학습지)
150. 홈코 시작(집에서 화상 1:1 케어)
151. 불자의 인생 시작
152. 나는 복덩어리다. 나는 운이 좋은 사람이다.
153. 베스트셀러 3권 달성 노하우 책쓰기 교육 시작
154. 유튜브, 유튜버 100년 하는 노하우 교육 시작

최보규 방탄동기부여 전문가의 습관 381가지 (2008년 ~ 진행 중)

155. 방탄멘탈마스터 양성 시작
156. 나다운 방탄멘탈 책으로 극단적인 선택 줄이기
157. 아침 8시, 저녁 9시 방탄멘탈공식 SNS 공유
158. 5번째 책 2022년 나다운 방탄사랑
159. 2023 나다운 방탄멘탈 2
160. 2024 나다운 책 쓰기(100년 가는 책)
161. 2025 유튜버가 아니라 나튜버 (100년 가는 나튜버)
162. 2026 나다운 강사3(Q&A)
163. 2027 나다운 명언
164. 2029 나다운 인생(50살 자서전)
165. 줌 화상 기법 강의, 코칭(최보규줌사관학교)
166. 언택트(비대면)시대에 맞게 아날로그 방식 80%를
     디지털 방식 80%로 체인지
167. 변기 뚜껑 닫고 물 내리기
168. 빨래개기
169. 요리하기, 요리책 내기 위한 자료 수집
170. 화장실 물기 제거
171. 부엌 청소, 집 청소, 화장실 청소
172. 사랑해 100번 표현하기
173. 아내에게 하루 마무리 안마 5분 해주기
174. 헌혈 2달에 1번
175. 헌혈증 기부
176. 네 번째 책 행복 히어로 책 출간
177. 극단적인 선택률, 이혼율 낮추기 위한 교육 시작
178. 행복률 높이기 위한 교육 시작
179. 다섯 번째 책 원고 작업 시작
180. 여섯 번째 책 자료 수집
181. 운전 중 양보 해 줄 때, 받을 때 목례로 인사하기.
182. 다섯 번째 책 나다운 방탄습관블록 출간
183. 습관사관학교 시스템 완성
184. 습관 코칭, 교육 시작
185. 아침 8시, 저녁 9시 습관 메시지 sns 공유
186. 습관 전문가 되어 무료 케어 상담 시작
187. 습관 콘텐츠 유튜브<행복히어로>에 무료 오픈 시작

최보규 방탄동기부여 전문가의 습관 381가지 (2008년 ~ 진행 중)

188. 여섯 번째 책 원고 작업 시작
189. 최보규상(대한민국 노벨상) 버킷리스트 설정
190. 2037년까지 운영진, 자금(상금), 시스템 완성 목표 설정
191. 최보규상을 1,000년 동안 유지하기 위한 공부
192. 일곱 번째 자존감 책 원고 작업
193. 여덟 번째 책 쓰기 책 자료 수집, 공부
194. 앉아서 일할 때 50분의 한번 건강 타이머 누르기
195. 세계 최초 자기계발쇼핑몰(www.자기계발아마존.com)
196. 온라인 건물주 분양 시작(월세, 연금성 소득 올릴 수 있는 시스템)
197. 일곱, 여덟 번째 책 축간 (나다운 방탄자존감 명언 Ⅰ, Ⅱ)
198. 자기계발코칭전문가 1급, 2급 자격증 교육 시작
199. 방탄자기계발사관학교 Ⅰ, Ⅱ, Ⅲ, Ⅳ 4권 출간
200. 2021년 목표였던 9권 책 출간 달성!
201. 하루 3번 호흡 스펙 습관 쌓기 시작
     (코 8초 마시고, 5초 멈추고, 입으로 8초 내뱉기)
202. 장모님께 출간 한 책 12권 드리기
203. 2022년 최보규의 책 쓰기9 원고 작업 시작
204. 100만 프리랜서들 도움주기 위한 프로젝트 시작
205. 방탄 자존감 코칭 기술
206. 방탄 자신감 코칭 기술
207. 방탄 자기관리 코칭 기술
208. 방탄 자기계발 코칭 기술
209. 방탄 멘탈 코칭 기술
210. 방탄 습관 코칭 기술
211. 방탄 긍정 코칭 기술
212. 방탄 행복 코칭 기술
213. 방탄 동기부여 코칭 기술
214. 방탄 정신교육 코칭 기술
215. 꿈 코칭 기술
216. 목표 코칭 기술
217. 방탄 강사 코칭 기술
218. 방탄 강의 코칭 기술
219. 파워포인트 코칭 기술
220. 강사 트레이닝 코칭 기술
221. 강사 스킬UP 코칭 기술
222. 강사 인성, 멘탈 코칭 기술

최보규 방탄동기부여 전문가의 습관 381가지 (2008년 ~ 진행 중)

223. 강사 습관 코칭 기술
224. 강사 자기계발 코칭 기술
225. 강사 자기관리 코칭 기술
226. 강사 양성 코칭 기술
227. 강사 양성 과정 코칭 기술
228. 퍼스널브랜딩 코칭 기술
229. 방탄 리더십 코칭 기술
230. 방탄 인간관계 코칭 기술
231. 방탄 인성 코칭 기술
232. 방탄 사랑 코칭 기술
233. 스트레스 해소 코칭 기술
234. 힐링, 웃음, FUN 코칭 기술
235. 마인드컨트롤 코칭 기술
236. 사명감 코칭 기술
237. 신념, 열정 코칭 기술
238. 팀워크 코칭 기술
239. 협동, 협업 코칭 기술
240. 버킷리스트 코칭 기술

241. 종이책 쓰기 코칭 기술
242. PDF 책 쓰기 코칭 기술
243. PPT로 책 출간 코칭 기술
244. 자격증 교육 커리큘럼으로 책 출간 코칭 기술
245. 자격증 교육 커리큘럼으로 영상 제작 코칭 기술
246. 책으로 디지털콘텐츠 제작 코칭 기술
247. 책으로 온라인 콘텐츠 제작 코칭 기술
248. 책으로 네이버 인물 등록 코칭 기술
249. 책으로 강의 교안 제작 코칭 기술
250. 책으로 민간 자격증 만드는 코칭 기술
251. 책으로 자격증 과정 8시간 제작 코칭 기술
252. 책으로 유튜브 콘텐츠 제작 코칭 기술
253. 유튜브 시작 코칭 기술
254. 유튜브 자존감 코칭 기술
255. 유튜브 멘탈 코칭 기술
256. 유튜브 습관 코칭 기술
257. 유튜브 목표, 방향 코칭 기술
258. 유튜브 동기부여 코칭 기술

최보규 방탄동기부여 전문가의 습관 381가지 (2008년 ~ 진행 중)

259. 유튜브가 아닌 나튜브 코칭 기술
260. 유튜브 영상 제작 코칭 기술
261. 유튜브 영상 편집 코칭 기술
262. 유튜브 울렁증 극복 코칭 기술
263. 유튜브 썸네일 디자인 제작 코칭 기술
264. 유튜브 콘텐츠 제작 코칭 기술
265. 유튜브 수입 연결 제작 코칭 기술
266. 유튜브 영상 홍보 코칭 기술
267. 홈페이지 무인시스템 연결 제작 코칭 기술
268. 홈페이지 자동 결제 시스템 제작 코칭 기술
269. 홈페이지 비메오 연결 제작 코칭 기술
270. 홈페이지 렌탈 시스템 제작 코칭 기술
271. 홈페이지 디자인 제작 코칭 기술
272. 홈페이지 제작 코칭 기술
273. 재능마켓 크몽 PDF 입점 코칭 기술
274. 재능마켓 크몽 강의 입점 코칭 기술
275. 재능마켓 크몽 이미지 디자인 제작 코칭 기술
276. 재능마켓 크몽 입점 영상 제작 코칭 기술

277. 재능마켓 크몽 입점 영상 편집 코칭 기술
278. 재능마켓 크몽 VOD 입점 코칭 기술
279. 클래스101 영상 입점 코칭 기술
280. 클래스101 PDF 입점 코칭 기술
281. 클래스101 이미지 디자인 제작 코칭 기술
282. 클래스101 영상 제작 코칭 기술
283. 클래스101 영상 편집 코칭 기술
284. 탈잉 영상 입점 코칭 기술
285. 탈잉 PDF 입점 코칭 기술
286. 탈잉 이미지 디자인 제작 코칭 기술
287. 탈잉 영상 제작 코칭 기술
288. 탈잉영상 편집 코칭 기술
289. 탈잉 VOD 입점 코칭 기술
290. 클래스U 영상 입점 코칭 기술
291. 클래스U 영상 제작 코칭 기술
292. 클래스U 영상 편집 코칭 기술
293. 클래스U 이미지 디자인 제작 코칭 기술
294. 클래스U 커리큘럼 제작 코칭 기술

295. 인클 입점 코칭 기술
296. 자신 분야 콘텐츠 제작 코칭 기술
297. 자신 분야 콘텐츠 컨설팅 코칭 기술
298. 자기계발코칭전문가 1시간 ~ 1년 코칭 기술
299. 강사코칭전문가, 리더십코칭전문가 1시간 ~ 1년 코칭 기술
300. 온라인 건물주 되는 코칭 기술
301. 강사 1:1 코칭기법 코칭 기술
302. 전문 분야 있는 사람 1:1 코칭 기법 코칭 기술
303. CEO, 대표, 리더, 협회장 품위유지의무 코칭 기술
304. 은퇴 준비 코칭 기술
305. 2023년 나다운 방탄리더십 1, 2, 3, 4, 5 출간
306. 나다운 방탄리더십 아침, 저녁 메시지 시작
307. 강사코칭전문가 자격증 시스템 시작
308. 방탄 리더십 원고 작업 시작
309. 방탄 리더 자존감 원고 작업 시작
310. 방탄 리더 멘탈 원고 작업 시작
311. 방탄 리더 습관 원고 작업 시작
312. 방탄 리더 행복 원고 작업 시작
313. 방탄 리더 자기계발 원고 작업 시작
314. 방탄 리더 코칭 원고 작업 시작
315. 마트에서 구입한 물건들 바코드 정렬해서 올리기
316. 장모님 머리 염색해 주기
317. 처남 금연, 금주 도와주기
318. 한 해 시작할 때 습관 영상 업로드
319. 결혼기념일 뱃지, 명찰 제작
320. 뒤꿈치 들기 운동 시작
321. 리더는 유튜브가 아닌 나튜브 1, 2, 3 출간
322. 방탄 리더 스피치 1, 2, 3, 4, 5 출간
323. 방탄 리더 책쓰기 1, 2, 3 출간
324. 방탄 강사 원고 작업 시작
325. 방탄 리더 동기부여 1, 2, 3, 4, 5, 6 출간
326. 리더 은퇴 글쓰기 1, 2, 3, 4, 5, 6 출간
327. 방탄 리더 감정컨트롤 1, 2, 3, 4, 5, 6 출간
328. 방탄 리더 재테크 1, 2, 3, 4, 5, 6 출간
329. 방탄 리더 의무교육 1, 2, 3, 4, 5, 6 출간
330. 방탄 리더 태도 1, 2, 3, 4, 5, 6 출간

331. 방탄 리더 기본기 1, 2, 3, 4, 5, 6 출간
332. 리더 의무교육 1 ~ 11 출간
333. 방탄 리더 사명감 1, 2, 3, 4, 5, 6 출간
334. 자기계발서 100권 출간
335. 방탄 리더 인재양성 1, 2, 3, 4, 5, 6, 7 출간
336. 리더십 식스펙 1, 2, 3, 4, 5, 6, 7 출간
337. 리더십 PT 1 ~ 11 출간
338. 방탄 리더 스토리텔링 1, 2, 3, 4, 5, 6, 7 출간
339. 리더의 방탄 인간관계 1, 2, 3, 4, 5, 6, 7 출간
340. 리더의 방탄 소통 1, 2, 3, 4, 5, 6, 7 출간
341. 300만 원 동기부여 강의 출간
342. 1조 리더십 강의 1, 2 출간
343. 방탄리더사관학교 원고 작업 시작
344. 동기부여 히어로 원고 작업 시작
345. 방탄 동기부여 초고속 출전 원고 작업 시작
346. 강사야 대표 강사
347. 방탄 동기부여 일타강사
348. 방탄 리더십 일타강사
349. 국가등록 5가지 민간자격증 과정 시스템
    동기부여코칭전문가 2급, 1급
    자기계발코칭전문가 2급, 1급
    리더십코칭전문가 2급, 1급
    책쓰기코칭전문가 2급, 1급
    강사코칭전문가 2급, 1급
350. 방탄 PT 시스템 시작
    1. 동기부여 방탄 PT
    2. 리더 인간관계 PT
    3. 방탄리더십 PT
    4. 자기계발 방탄 PT
    5. 방탄 강사 방탄 PT
    6. 책 쓰기, 출간 방탄 PT
351. 특허청 등록 [등록번호:제 40-2072344호]
    [상표명: 최보규 자기기발코칭 창시자]
352. 특허청 등록 [등록번호:제 40-2128786호]
    [상표명: 최보규 리더동기부여 코칭전문가]
353. 이코노미 PT, 비지니스 PT, 퍼스트클라스 PT

최보규 방탄동기부여 전문가의 습관 381가지 (2008년 ~ 진행 중)

354. 백년 허리 1 공부
355. 백년 허리 2 공부
356. 백년 운동 공부
357. 척추위생 시작
358. 신전운동 시작
359. "척추의 꼬마" 디스크 홍보대사 시작
360. 디스크 탈출증 완치 강의 교안 만들기
361. 법적 부부의 날(혼인 신고 날짜)사진 제작 [시각화]
362. 천년의 약속(청첩장 문구)사진 제작 [시각화]
363. "지금 무엇을 하면 아내가 행복할까?" 볏지 제작
364. "지금 무엇을 하면 남편이 행복할까?" 볏지 제작
365. 화장실에 스마트폰 가져가지 않기
366. 방탄 동기부여 사용 설명서(파워포즈자세)스티커 나눔
367. 스티커 원본 이미지 나눔
368. 300만원 동기부여 강의 교안 블로그 나눔
369. 1조 리더십 강의 교안 블로그 나눔
370. 2024년 습관 영상 제작

371. 방탄 사랑 10가지 체크리스트 시작
372. 기상 후 뽀뽀
373. 기상 후 사랑해
374. 기상 후 안아주기
375. 어깨 안마 3번(3분씩)
376. 남편 13계명 실천
377. 소변 앉아서 싸기
378. 세면대 물기 제거
379. 싱크대 물기 제거
380. 3단 콤보(뽀뽀, 사랑해, 안아주기)
381. 아내 재워주기(하루 일과 소통)

---

④ 세상에서 가장 강력한 동기부여는 사람이다!
멘토의 중요성!

방탄 동기부여 초고속 충전

"당신은 제가 좋은 사람이 되고 싶도록 만들어요"

141

첫 번째, 자기 관리, 건강관리를 잘하는 사람.

모든 시작은 자기 관리, 건강에서 시작한다. 자기 관리가 안 돼서 몸이 아프면 모든 게 만사가 귀찮다. 몸이 아프면 부정적인 생각이 드는 게 사람의 심리다. 바디갑이 자존감, 멘탈 갑이듯 자기 관리, 건강관리가 잘 돼야 마인드 컨트롤이 잘 되서 자신 삶의 페이스 유지를 잘 할 수 있다.

자기 관리, 건강관리를 잘하는 사람이 주위에 있는가? 내가 그런 사람이 아니라면 주변에 자기관리, 건강관리 잘 하는 사람이 대부분 없다. 상대방이 자기계발을 잘하는 사람인지 아닌지 알 수 있는 방법은 가장 먼저 밝은 표정인지, 말투에서 힘이 느껴지는지, 모습이 자기 관리, 건강관리가 잘 되어 보이는지 이런 것들을 보고 판단할 수 있다. 그래서 필자는 381가지 자기계발 습관 중에 50%가 자기 관리, 건강관리다.

두 번째, 목표, 방향, 가능성(비전)이 있는 사람.

"저 사람 옆에 있으면 나도 변할 수 있겠다. 나도 무엇이든 되겠다. 저 사람은 내가 좋은 사람이 되고 싶도록 만들어!" "저 사람과 함께라면 나도 가능성이 있겠다."라는 함께 하고 싶다는 마음을 주는 사람이다.

한 분야 전문가라면 누구나 이런 사람이 되고 싶어 할 것이다. 그래서 필자도 이런 사람이 되기 위해서 가치, 비전, 목표, 방향, 가능성을 높이기 위해 실천했다. 사람마다 다르겠지만 필자의 결과물이 50개였다면 5,000,000배 시행착오, 대가 지불, 인고의 시간이 들어갔다. 이제는 시행착오, 대가 지불, 인고의 시간을 단축시키는 기술력을 익히게 되었다.

세 번째, 책을 꾸준하게 보고 실천하는 사람.

책을 많이 읽는 사람인지 아닌지 대화 5분만 해봐도 알 수 있다. 책을 많이 보는 사람의 대화와 책을 아예 안 읽는 사람의 대화는 완전히 다르다. 표정, 행동, 기운이 다르다.

우종만 박사님이 이런 말을 했다. 아는 것이 힘이던 시대는 지났다. 생각이든 결심이든 실천이 없으면 아무 소용이 없다. 쓰레기 된다. 하는 것이 힘이다. 1%를 하더라도 실천하는 자가 행복한 사람이다.

그래서 필자는 한 달에 15권씩 꾸준히 책을 읽고 15년 동안 2,000권 독서, 자기계발 책 100권을 출간하고 자기계발, 동기부여 습관 381가지를 만들었다는 것이다. 대한민국에 리더 자기계발교육을 잘하는 사람들은 많다.

최보규 방탄동기부여 전문가만큼 내공이 있는 사람은 단언컨대 세상에 없다.

네 번째, 꾸준히 하는 것이 많은 사람.
꾸준함 속에 성실함, 인내심, 목표, 긍정, 희망, 미래, 성장, 변화, 배움이 있다.
자동차에 연료가 없으면 움직이지 않듯 자신이 이루고자 하는 모든 것들은 꾸준함이라는 연료가 있어야 한다.
꾸준히 하고 있는 게 많으면 진짜 자기계발 잘하는 사람이다.

다음은 좌절, 실망, 실패를 겪더라도 꾸준함이 있어야만 결과를 만들어 낼 수 있다는 것을 깨닫게 해주는 스토리텔링이다.

다람쥐는 모아둔 도토리의 대부분을 잃어버린다.
두 볼 가득 도토리를 채운 다람쥐는 하루 37번을 왕복하며 겨울을 대비할 식량을 땅속에 저장한다. 하지만, 여러 군데 나누다 어느새 너무 흩어 저버린 도토리. 결국 다람쥐가 다시 찾게 되는 도토리는 겨우 1/10정도. 나머지 도토리들은 다 어떻게 된 걸까?
이듬해 봄이 돌아오면 다람쥐가 찾던 도토리들은 그렇게, 잃어버린 줄 알았던 90%의 도토리가 참나무 숲을 이루고 그 나무들은 몇 년이 지나 다람쥐들에게 수천 개의 도토리로 돌아온다. 우리에게도 도토리를 찾지 못 하고 있는 시간들이 있다. 오랜 시간 최선의 노력을 기 울였던 시험에서 속절없이 떨어졌을 때 오랜 기간 준비 해온 것이 너무도 쉽게 물거품이 되어 버렸을 때 우리 어떠한 노력의 결과도 얻지 못한 거 같아 좌절하곤 한 다.

하지만 당신의 도토리는 결코 사라진 것이 아니다.

단지 땅에서 씨앗이 되고 있을 뿐이다. 한번 생각해보 라. 당신이 몇 개의 도토리를 잃어버렸는지 그리고 당신 에게 몇 그루의 참나무가 열릴 것인지를 기억하자 실패 는 끝이 아닌 시작이다.

<열정에 기름 붓기>

다람쥐의 양질전환 법칙을 생각해야 한다. 양이 많아야 질적으로 전환이 되는 것처럼 결과가 바로 나오지 않더 라도 꾸준히 하고 있는 것이 많아야 한다. 꾸준함 속에 서 어떤 것이 결과를 만들어 낼지 모르기 때문이다.

곰곰이 생각해 보자! 이 책을 보고 있는 당신은 지금 꾸 준히 하고 있는 게 몇 개나 되는가?

대부분 사람들은 꾸준히 하고 있는 게 많다? 치킨을 꾸 준히 먹는다. 담배를 꾸준히 피운다. 인스턴트를 꾸준히 먹는다. 정신, 몸에 무리가 가는 행동들을 꾸준히 한다. 필자는 15년 전 강사가 되고 나서 지금까지 꾸준히 하고 있는 게 책 2,000권 독서, 한 달에 15권 독서, 자기계발 습관 381가지를 만듦, 450명에게 점심 간 때 좋은 메시지, 영상 공유, 기부, 나눔을 실천 하고 있으며 생명지킴이 심리 상담 봉사, 유튜브 5년 차, 2019년 ~ 2024년 까지 100권 출간을 꾸준히 하고 있다.

다섯 번째, 함께 잘 되기 위한 행동을 많이 하는 사람.
나의 1%는 누군가에게는 살아가는 100%가 될 수 있다. "내가 어려운 사람을 돕는 것이 아니라 어려운 사람이 내게 도울 기회를 주는 거다." 이런 마음으로 자신의 사소한 말, 표정, 행동들이 오로지 자신을 위해서가 아니라 함께 잘 되기 위한 행동들이 많은 사람이다.

한 마디로 "혼자 잘 되고 잘살자" 마인드가 아니라 "함께 잘 되고 잘살자" 마인드가 있는 사람이다.

내가 보는 게, 내가 듣는 게, 내가 행동하는 게 오로지 나를 위함이 아닌 함께 잘 살기 위한 행동이 많은 자기계발, 동기부여를 해야 한다. 혼자만이 발전, 변화, 성장, 나음이 아닌 우리, 함께 발전, 변화, 성장, 나음이 될 수 있는 자기계발, 동기부여가 되어야 한다. 더 나아가 사회 와 나라 발전에 이바지할 수 있는 자기계발, 동기부여를 해야 한다. 다음은 공생관계 스토리텔링이다.

터키 도안 통신(DHA)과 외신은 실제로 피해를 입은 남성의 유튜브와에 올라온 사연을 전했습니다. 터키 북동부의 트라브존에서 양봉업 이브라힘 세데프(Ibrahim Sedef)는 3년 전부터 상습적인 곰의 습격으로 1만 달러(한화 약 1,200만원)에 달하는 피해를 보았습니다. 그는 곰이 꿀을 훔쳐 가지 못하도록 철장 안에다 넣었습니다. 또 다른 음식을 두기도 했지만 곰의 꿀을 향한 집념을 막을 수 없었습니다. 모든 방법과 시도들이 물거품이 되자, 그는 역발상을 하게 됐습니다. 그의 양봉 농장에 카메라를 설치하였고 다양한 꿀을 나열해 놓았습니다. 그리고 밤손님 곰에게 시식을 맡긴 것이었죠. 결과는 대박이었습니다. 여러 날의 시식 결과 곰은 세데프의 안제르(Anzer) 꿀만 찾았습니다. 그는 이 촬영 영상과 함께 안제르 꿀을 쇼핑몰에 올렸고, 불티나게 그의 꿀이 팔렸습니다. 안제르 꿀은 1kg에 300달러를 호가한다고 합니다.

<유튜브 Demirören Haber Ajansı>

공생 관계인 코뿔소와 코뿔소 새, 소나무와 송이버섯, 곰치와 청소놀래기처럼 함께 잘 살기 위한 자기계발, 동

기부여를 했을 때 더 시너지효과가 나는 것이다.

필자가 공생관계태도 자기계발, 동기부여(20,000명 심리 상담, 코칭)를 통해 책을 쓰는데, 코칭하는데, 국가등록 민간 자격증 만드는데, 10개 분야 50시간 코칭 커리큘럼을 만드는데, 사람을 살리는데, 책 100권을 출간하는데, 도움이 되어 수익도 창출하고 100조의 가치를 얻을 수 있었다.

필자는 15년 동안 20,000명을 심리 상담, 코칭 하면서 늘 함께 잘 되기 위해서 상담, 코칭을 했고 습관을 만들었고 100권의 출간한 책 내용도 함께 잘 되기 위한 내용이며 유튜브를 찍더라도 작은 거라도 도움을 주기 위해서 노하우를 오픈하고 있다.

최보규 방탄동기부여 전문가의 말, 표정, 행동에서 "함께 잘 되고 잘 살자" 마인드로 표현하는지 자기 자신만 생각하고 말, 표정, 행동하는지는 대화 30분만 해보면 알 것이다.

"함께 잘 되고 잘 살자" 마인드가 어떤 표현인지 어떤 것인지 30분 안에 느끼고 싶다면 무료 상담 받아 보라.
<최보규 방탄동기부여 창시자 010-6578-8295>
단언컨대 30분 안에 "함께 잘 되고 잘 살자" 마인드가

어떤 것인지 느끼게 해줄 수 있다.

자기계발, 동기부여를 잘하는 사람의 기준을 알면 자기계발 잘하는 사람들을 찾을 수 있다. 주위에 있는가? 잘하는 사람은 있지만 검증된 사람은 아마 없을 것이다. 검증된 사람에게 코칭을 받아야 돈과 시간 낭비를 줄일 수 있다.

교육, 코칭을 받더라도 순간 단타로 끝나는 것이 아니라 함께 잘 되기 위해서 한 번의 코칭으로 150년 A/S, 관리, 피드백해 줄 수 있는 코칭 과정이 대한민국에 있을까?

세상에 필자보다 자기계발 코칭을 잘하는 사람은 많다. 단언컨대 최보규 방탄동기부여 전문가보다 코칭 받는 사람을 사랑으로 150년 a/s, 피드백, 관리, 코칭해 주는 검증된 전문가는 대한민국에 없다! 세계에 없다!

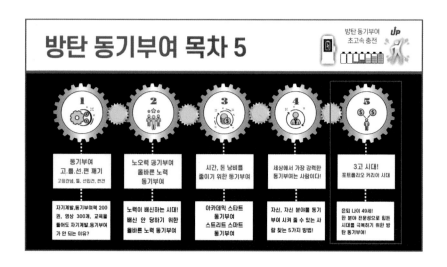

방탄 동기부여 목차 5

---

5 3고 시대! 포트폴리오 커리어 시대
은퇴 나이 49세! 한 분야 전문성으로 힘든 시대를 극복하기 위한 방탄 동기부여!

3고 시대 (고물가, 고환율, 고금리)를 준비하는 3부류의 사람들!
앞으로 더 힘들면 힘들었지 덜 하지는 않는 게 현실이다!

한방만 터지면 된다!
대박 아니면 쪽박이다!

내 주제에 뭘 할 수 있겠어...
돈, 나이, 스펙 때문에...
시도할 수 있는 게 없어...
경기 좋아지기만을 기다리자...

점점 더 힘들어진다.
내 커리어, 내 분야
지금처럼 하면 안 된다. 변화가 필요해!
어떻게 하면 좀더 나아질 수 있을까?

150

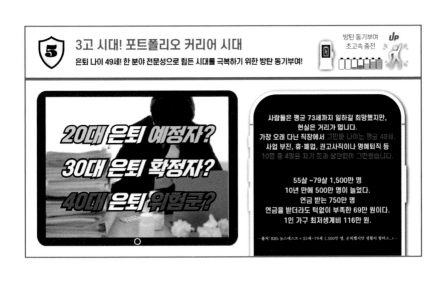

[앵커]

'나는 언제까지 일할 수 있을까' 한 업체가 조사해봤더니 직장인이 기대하는 정년은 평균 49.7세였습니다. 평균수명은 길어지는데, 직장에서 50세까지도 버티지 못할거라고 생각한다는 거죠..

류주현 기자입니다.

[리포트]

취업한 지 얼마 안 된 20~30대 직장인들. 이들이 예상하는 퇴직 연령은 몇 살일까요?

최우수 / 20대 직장인

"회사 생활은 한 45세에서 50세 사이 안에는 끝날 것 같은데…"

노주영 / 30대 직장인

"더 낮아질 것으로 예상하고요. 코로나 불황 속에 직업에 대한 미래가 불투명하기 때문에…"

한 온라인 취업포털 사이트 조사 결과, 직장인들이 기대하는 정년은 평균 49.7세였습니다.

특히 젊은 연령층에서 50세 이전 퇴직을 예상했습니다.

30대가 평균 48.6세로 가장 낮았고, 20대도 평균 49.5세에 회사를 나갈 거라고 전망했습니다.

40대 이상은 50세는 넘길 거로 예상했지만, 50대 초반에 그쳤습니다.

4년 전 조사와 비교하면 예상 퇴직 연령은 1.2세 더 낮아지면서 40대까지 떨어진 겁니다.

그러다보니 퇴직 이후에도 일하고 싶은 마음은 더 커졌습니다.

서용구 / 숙명여대 경영학부 교수
"베이머부머보다 밀레니얼 세대가 더 가난해진다고들 얘기를 많이 하는데, 안정된 고용시장이 만들어지지 못하는 상황에서 나이가 젊으면 젊을 수록 미래에 대한 불안감은 커지기 때문에…"

이번 조사에서 정년퇴직 이후 필요한 한 달 평균 생활비는 평균 177만원으로 나타났습니다.

<TV조선>

20대 은퇴 예정자?

30대 은퇴 확정자?

40대 은퇴 위험군?

2023년 평균 은퇴 나이 49세
앞으로 은퇴 나이 더 낮아진다!

**100% 해당되는 은퇴
언제부터 준비할 것인가?
은퇴 준비가 자신 분야 준비고
강력한 동기부여다!**

3고 시대에
한 분야 전문성으로는
힘들기에 어떻게 하면 할 수 있을까?

3고 시대! 포트폴리오 커리어 시대

은퇴 나이 49세! 한 분야 전문성으로 힘든 시대를 극복하기 위한 방탄 동기부여!

포트폴리오 커리어 시대!

하나의 일, 하나의 직업이 아닌
모든 것이 일이 되고 모든 일이 직업이 되는 시대!
멀티 플레이어가 살아남는다.

앞으로는
'포트폴리오 커리어의 시대'다.
─ 세계 최고의 경영사상가 찰스 핸디 ─

일을 그만두라는 것이 아니다!

**어떻게 하면 자신 분야 경력을
수입을 창출 시키는 방법과
연결을 시킬 것인가?**

▶ 한 분야 전문성으로는 힘든 시대! 앞으로 포트폴리오 커리어 시대에는 포트폴리오 커리어 인재만 살아남는다!

1970년대 인재, 1980년대 인재, 1990년 대 인재, 2000년 대 인재, 2010년 대 인재... 2010년 대부터 인재상이 580도로 확 달라졌다. 그 이유는 스마트폰이 보급화되어 빠른 기술 변화로 인해 이전 세대와 차원이 다른 인재로 업그레이드되었다는 것이다. 하지만 많은 리더들이 시대에 맞는 인재상이 아닌 이전 세대에 인재상으로 리더십을 발휘하니 인재가 오래 버티지 못하는 것이다. 인재상도 시대에 맞게 업데이트해야 한다.

지금 시대는 포트폴리오 커리어 인재라고 한다. 다음은 포트폴리오 커리어 인재가 어떤 인재인지 깨닫게 해주는 내용이다.

포트폴리오 커리어 시대
'포트폴리오 커리어의 시대'는 세계 최고의 경영사상가 찰스 핸디가 이미 오래전에 예측한 바 있다. 그는 포트폴리오 커리어의 시대에는 대부분의 생활이 일에 포함된다고 본다.
2가지 또는 그 이상의 영역에서 일을 하는 사람들이 늘어나는 현상에 따른 것이다.

'멀티-커리어리즘' (Multi-careerism)과도 연결된다. 이런 포트폴리오 커리어는 하나의 직무만으로 평생 먹고 살기가 힘들어진다. 그런 미래가 우리 앞에 이미 현실화 되었음을 시사한다.

이광호의 《아이에게 동사형 꿈을 꾸게 하라》 중에서

* 하나의 일, 하나의 직업으로
살아가는 시대는 지났습니다. 모든 것이
일이 되고 모든 일이 직업이 되는 시대를 맞고 있습니다. 여러 일을 동시에 할 수 있는 '멀티 플레이어'가 되어야 살아남을 수 있습니다. 이런 시대에 요구되는 가장 중요한 것은 자기 관리, 자기 준비입니다. 새로운 기술과 지식, 유연한 사고와 창의적 발상으로 언제든 능숙하게 대응해야 합니다. 포트폴리오 커리어 시대입니다.

(2020년 8월 11일 앙코르메일)
<고도원의 아침편지>

포트폴리오 커리어 시대를 준비하자
우리가 살아가는 세상은 커리어 세상이다. 그리고 현대 사회는 포트폴리오 커리어 시대이다.

우리는 예전에 "한 우물을 파야 된다"는 어르신들의 말씀을 듣고 살았다. 즉, 단일경로 시대인 커리어 패스 시대 였다. 마치 사다리를 오르듯 한 단계씩 더 큰 책임과 승진으로 가는 모습이었다.

이에 반해 요즘은 포트폴리오 커리어 시대다.
포트폴리오 커리어란 다양한 자신의 역량과 경험을 횡으로 개발하고 펼쳐놓아 어떤 커리어가 필요할 때 이들을 유연하게 조합하는 것을 의미한다. 세상이 바뀌어서 정보시대이고 그러고는 세상이 눈 깜빡할 사이에 많은 것이 변하고 있다.

그래서 한 가지 직업으로는 살아남기가 무척 어렵기에 자신의 다양한 포트폴리오를 활용하여 변화하는 상황과 필요로 하는 직업에 유연하게 대응하는 것이다.

과거는 대개 한 두 회사에서 퇴직까지 근무하거나 회사를 옮겨도 한 업종 안에서 왔다 갔다 할 뿐이었다. 이에 커리어 패스가 중요했다. 한 두 회사에서의 커리어 패스란 사실상 승진이라는 단일경로 외에는 대안이 없다.

이에 대부분의 교육과 역량개발은 승진의 단계마다 초점이 맞추어졌다. 그러나 인간의 수명이 점점 길어져 100세 시대가 되었다. 그리고 하나의 일, 하나의 직업으로 살아가는 시대는 지났다. 모든 것이 일이 되고 모든 일이 직업이 되는 시대를 맞고 있다. 여러 일을 동시에 할 수 있는 '멀티 플레이어'가 되어야 살아남을 수 있다.

이런 시대에 요구되는 가장 중요한 것은 자기 관리, 자기 준비이다. 새로운 기술과 지식, 유연한 사고와 창의적 발상으로 언제든 능숙하게 대응해야 한다. 기업도 생존주기는 점점 짧아져 간다. 젊은 세대들은 과거와 달리 한 회사에 평생 머물기를 원하지 않는다. 이제 몇 번의 동종업계 이직뿐 아니라 전혀 새로운 커리어 도전도 하게 될 것이다.

직장생활을 하는 직장인들도 야간이나 주말을 활용하여 자신의 또 다른 부캐를 이용하여 유튜브 등의 콘텐츠를 생성하고 투자활동도 한다. 기업 또한 빠르고 예측 불가능한 환경변화, 디지털 전환에 따른 기회와 위협에 대응하기 위해 인재관을 새롭게 정립하고 있다.

이런 시대는 어떤 인재가 필요할까?
미래의 인재들은 과거와 달리 박스나 사일로에 갇혀 있거나 특정 비즈니스만을 잘하는 사람들보다는 이를 넘어 사고를 확장할 수 있고 다양한 경험과 유연성을 갖춘 사람일 가능성이 높다. 그러므로 앞으로는 포트폴리오 커리어가 더 중요해질 것이라는 주장이다. 포트폴리오 커리어를 구축하기 위해 노력하는 사람들은 현재의 직업에 머물지 않는다.

호기심을 가지고 다양한 경험을 해본다. 다양한 기술들을 습득한다. 또한 습득한 다양한 기술과 직무에 필요한 기술을 창의적으로 연결하는데 숙련되어 있다. 이에 새로운 기회를 위해 자신을 홍보하고 심지어 만들 수 있는 준비가 더 잘 되어 있는 것이다. 전문가들은 산업혁명이 시작된 이래 유지되어오던 '일자리 시대'가 산업혁명 이전의 '일거리 시대'로 다시 회귀하는 추세라고 말한다.

유엔미래포럼 한국대표인 박영숙의 저서 '메이커의 시대(미래 일자리)'라는 유엔보고서 책자에서 "2030년대 즈음에 일자리의 시대에서 일거리의 시대로 바뀐다"라고 말한다.
혹시 개인적으로 부담이 된다면, '일거리'를 '일자리로 가기 위한 경험을 부여해줄 징검다리 활동'으로 보면 좋다.

따라서 오랫동안 일하면서 비교적 높은 보수를 받았던 안정된 형태의 '주된 일자리'에서 벗어난 이후에도 재취업 등을 통해서 일해야 할 필요성이 있는 신중년들은 이제 기존에 유연하지 않은 생각에서 벗어나 세상의 변화에 따르는 방법론도 좋은데 그 중 하나가 바로 '포트폴리오 커리어'이다. 또한, 자신이 직장인들이라면 빈 백지 하나를 꺼내서 자신의 포트폴리오 커리어를 하나씩 원으로 표시해보자.

지금까지 내가 경험한 것이 무엇일까? 내가 잘하는 것은 무엇일까? 두 번째, 이들을 연결해보라. 이들을 연결함으로써 어떤 새로운 가능성을 만들 수 있을까? 마지막으로는 여기에 추가하고 싶은 포트폴리오가 무엇인지 더해보라. 어댑터블하고 유연한 포트폴리오 커리어를 구성해 나가보라. 이것이 예측이 어려운 미래를 효과적으로 대응하는 방법이 될 것이다.

인생 1막을 마치고 난 이후에도 안정된 일자리에서 일하고픈 인간의 욕구는 당연하지만, 베이비붐 세대의 본격적인 퇴직이 시작되는 현시점의 높은 재취업 경쟁률 속에서 이전과 달리 질적이고도, 안정된 일자리를 찾기는 점점 어려워진다.

아래 변화의 시간이 빨라진 현시점에서 여러 가지 장애물을 넘어야만 하는 재취업보다는 '혼자 하는 일', 혹은 여러 개의 '파트타임 일'을 묶어서 동시에 해보라고 조

언한다. 이전과 달리 장기간의 고용을 제공하는 일자리는 점점 줄어들기 때문이다. 특히 안정된 일자리만 희망하면서 장기간에 걸친 구직기간을 허비할 수 없는 처지라면 평소에 생각하지 않던 '파트타임 일' 등에 관심을 가져보면 어떨까? - 강성남 칼럼위원(담양문화원장)-
<담양뉴스>

한마디로 포트폴리오 커리어 인재는 한 분야 전문성이 있는 것이 아닌 다수에 전문성이 있는 사람을 말한다. 한 가지 일만 잘 하는 사람이 아닌 다수에 일을 할 수 있는 사람이다. 지금은 포트폴리오 커리어 인재 한 명이 10명의 가치를 창출하는 시대다. 앞에서도 포트폴리오 커리어 인재에게 가장 중요한 것이 자기관리라고 했다. 20,000명 심리 상담, 코칭 하면서 목이 터져라 말하는 것이 있다. 어떤 분야든 모든 것에 기본은 자자자자멘습궁이다. (자존감, 자신감, 자기관리, 자기계발, 멘탈, 습관, 긍정) 모든 분야에 본질, 기본, 기초인 자자자자멘습궁이 받쳐줘야 인재로 거듭날 수 있다.

그래서 세계 최초로 자자자자멘습궁 학습, 연습, 훈련할 수 있는 시스템을 만들었다. 세계에서 자자자자멘습궁 학습, 연습, 훈련 하는 기관은 www.방탄자기계발사관학교.com 뿐이다. 상담받길 바란다.

3고 시대! 포트폴리오 커리어 시대
은퇴 나이 49세! 한 분야 전문성으로 힘든 시대를 극복하기 위한 방탄 동기부여!

스마트폰의 혁신!
아이폰
(아이팟 + 인터넷 + 폰)

자신 분야

자신 분야+제2수입?+제3수입?

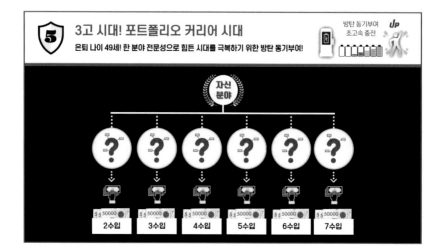

자신 전문 분야 외에 다수에 전문 분야를 만들기가 쉽지 않다. 하지만 자신 분야와 연결이 되는 전문 분야를 만들기는 생소한 전문 분야 만들기 보다는 수월하다. 일을 하는데 동기부여가 한가지면 동기부여가 약하지만 동기부여가 6가지라면? 수입을 창출할 수 있는 곳이 6곳이라면? 동기부여는 5G 속도로 높아진다.

어떻게 자신 분야 전문성으로 다수에 전문성과 연결을 시킬 것인가? 끊임없이 학습, 연습, 훈련해야 한다. 세상에서 가장 쉬운 방법은 하고 있는 사람 것을 벤치마킹하는 것이다. 필자가 하고 있는 포트폴리오 커리어 시대에 맞는 포트폴리오 커리어 인재가 되기 위해 자신 분야를 다수의 전문 분야 연결시키고 있는 것을 참고해서 벤치마킹하길 바란다.

3고 시대! 포트폴리오 커리어 시대
은퇴 나이 49세! 한 분야 전문성으로 힘든 시대를 극복하기 위한 방탄 동기부여!

3고 시대! 포트폴리오 커리어 시대
은퇴 나이 49세! 한 분야 전문성으로 힘든 시대를 극복하기 위한 방탄 동기부여!

5 3고 시대! 포트폴리오 커리어 시대
은퇴 나이 49세! 한 분야 전문성으로 힘든 시대를 극복하기 위한 방탄 동기부여!

방탄 동기부여
초고속 충전

5 3고 시대! 포트폴리오 커리어 시대
은퇴 나이 49세! 한 분야 전문성으로 힘든 시대를 극복하기 위한 방탄 동기부여!

방탄 동기부여
초고속 충전

**평균 희망 은퇴 73세, 현실 은퇴 나이 49세!
100세 시대 언제까지 몸(노동)으로만
일해서 돈을 벌 것인가?**

세상, 현실 기준에서 스펙, 돈, 인맥, 자산 등이 없어서 100세까지 노동을 해야 되고 몸까지 아프면 더 답이 없는 상황! 젊을 때는 100가지 중 99가지를 할 수 있지만 나이 들면 100가지 중 99가지를 할 수 없다. 3고 시대, AI 시대, 챗GPT 시대에 자신의 직업이 사라 질 수 있는 상황에서 어떻게 준비, 대비할 것인가?

 **방탄BOOK기술력
선택이 아닌 필수!**

ONLY ONE

방탄
BOOK
기술력

한 분야 전문성으로 힘든 시대다. 이제는 포트폴리오 커리어 시대다. (포트폴리오 커리어: 한 분야 전문성 외 다수에 전문성이 있는 사람) 자신 경력을 왜 썩히고 있는가! 자신 경력을 활용해서 6가지 수입을 발생시킬 수 있는 방탄book기술력! 언제까지 몸(노동)으로 일할 것인가? 자신 경력이 일하게 하자! 자신 콘텐츠가 일하게 하자! 시스템이 일하게 하자!

★ ★ ★ ★ ★
직장은 자신 인생을 책임져 주지 않지만
방탄book기술력은 자신 인생을 책임져 준다.
직장은 자신을 배신하지만
방탄book기술력은 자신을 배신하지 않는다.

ONLY ONE
방탄
BOOK
기술력

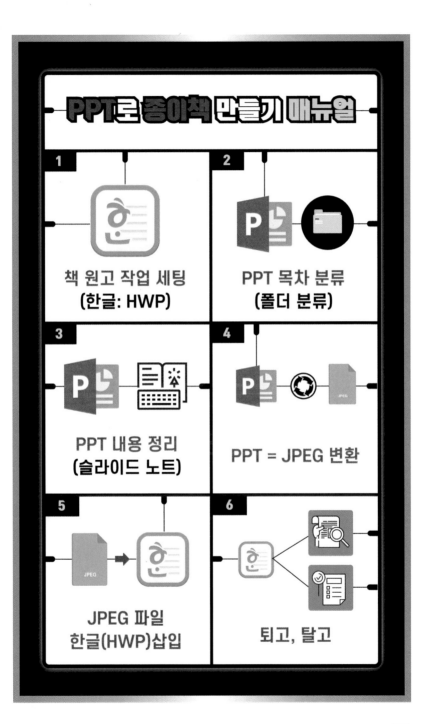

4. PPT를 JPEG 파일로 변환.
(PPT를 이미지 파일로 변환)

■ ★목차1 방탄동기부여 55
■ ★목차2 방탄동기부여 17
■ ★목차3 방탄동기부여 56
■ ★목차4 방탄동기부여 27
■ ★목차5 방탄동기부여 19
■ ★총정리6 방탄동기부여 62

P ★목차1 방탄동기부여 55
P ★목차2 방탄동기부여 17
P ★목차3 방탄동기부여 56
P ★목차4 방탄동기부여 27
P ★목차5 방탄동기부여 19
P ★총정리6 방탄동기부여 62

한글(HWP)원고에 PPT에서 작업한 슬라이드 이미지와 슬라이드 내용 설명한 것을 삽입하기 위해서 JPEG 파일로 변환한다.

▶ PPT → 파일 → 다른 이름으로 저장 → 이 PC → 방탄동기부여 폴더 → 파일 형식 → JPEG 파일 교환 형식 → 저장 → 모든 슬라이드

위 그림과 같이 6개의 JPEG 파일 폴더가 만들어졌다.

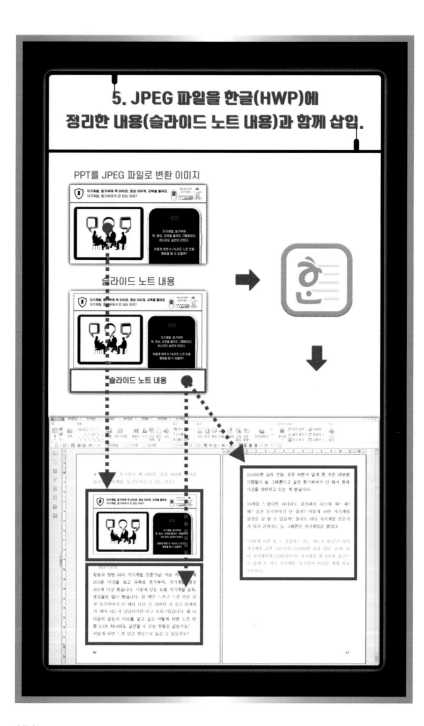

PPT를 JPEG 파일로 변환한 이미지와 슬라이드 노트 내용에 슬라이드 내용 설명한 것을 종이책 규격에 맞춰 세팅해놓은 한글(HWP)원고에 JPEG 파일은 삽입하고 내용은 복사해서 붙여넣기 한다.

여기서 참고할 것이 PPT 슬라이드 크기가 2종류로 나누어진다. 표준(4:3), 와이드 스크린(16:9)이 있다.

표준을 많이 사용하지만 와이드 스크린 사이즈도 JPEG 파일로 변환해서 한글(HWP)원고에 삽입하면 이상 없이 들어간다. 예시 이미지는 와이드 스크린(16:9) 사이즈다.

▶ 한글 → 입력 → 그림 → JPEG 파일 보관 폴더 → JPEG파일 클릭 → 문서에 보관 체크 → 글자처럼 취급 체크 → 넣기

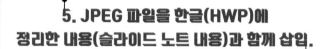
5. JPEG 파일을 한글(HWP)에 정리한 내용(슬라이드 노트 내용)과 함께 삽입.

★목차1 방탄동기부여

★목차2 방탄동기부여

★목차3 방탄동기부여

★목차4 방탄동기부여

★목차5 방탄동기부여

★총정리6 방탄동기부여

원고 작업 세팅한 비어 있는 한글 파일을 목차가 5개라면 5개로 복사한다. 그 이유는 PPT를 JPEG 파일로 변환을 하면 이미지가 용량을 많이 차지한다. 그래서 한글 파일 용량이 늘어나서 저장을 할 때 시간 소요가 많이 들어가서 비효율적이다.

시간 소요를 줄이기 위해 목차별로 나누어서 작업을 하면 한글 원고 작업을 수월하게 할 수 있다.

5. JPEG 파일을 한글(HWP)에
정리한 내용(슬라이드 노트 내용)과 함께 삽입.

**한글 원고 작업이 끝나면 <u>문서 끼워 넣기</u>로
5개(목차1~목차5) 한글 파일을 한 개로 만든다.**

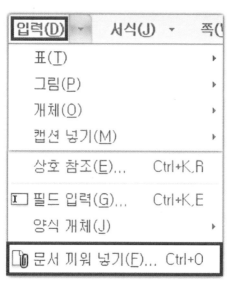

한글(HWP)원고에 JPEG 파일은 삽입하고 내용은 복사해서 붙여넣기 한 한글 파일 목차1 ~ 목차6을 한글 하나로 합쳐야 한다. 문서끼워 넣기로 한글 파일 한 개로 만들면 된다.

▶ 한글 ★목차1 방탄동기부여 열기 → 커서를 페이지 가장 밑에 둔다 → 입력 → 문서 끼워 넣기 → ★목차2 방탄동기부여 클릭 → 글자 모양 유지 체크 → 문단 모양 유지 체크 → 스타일 유지 체크 → 문서 끼워 넣기 할 파일 → 넣기

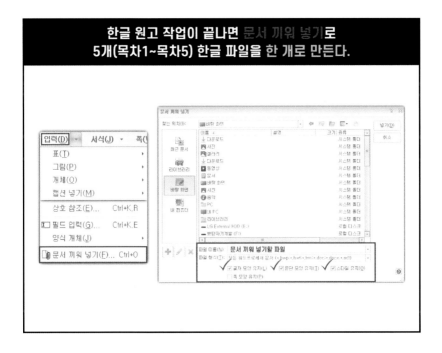

6.퇴고, 탈고
(종이책 출간을 위한 최종 점검)

책 출간을 위한 체크리스트

☑ 오타 확인

☑ 이미지 삽입 후 위, 아래, 좌, 우 간격 확인

☑ 머리말 입력

☑ 목차 입력

☑ 목차 페이지 번호 입력

☑ 참고문헌, 출처 정리

☑ 원고 마지막 장 판권지 입력

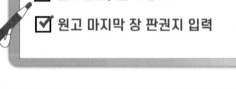

★ 퇴고, 탈고의 본질

한글(HWP)원고 작업에 마지막 단계인 퇴고, 탈고다.

책 쓰기 5단계
원고 → 초고 → 퇴고 → 탈고 → 투고

원고는 책을 쓰기 위한 한글(HWP)원고 기본 규격 세팅 단계다.
초고는 초벌로 쓴 원고다.
퇴고는 원고를 고쳐 쓰는 단계다.
탈고는 원고를 마무리하는 단계다.
투고는 마무리 한 원고를 출간하기 위해 출판사에 보내는 단계다.

투고의 해석 "내 원고 한번 읽어 보고 대중적으로 인기가 있을 거 같거나 돈이 될 거 같으면 1,000만 원 ~ 3,000만 원 투자해서 출간 해주세요." 라는 직설적인 의미가 있다.
이것을 로또 2등과 같다고 하는 기획출판이라고 한다. 그래서 아무나 기획출판을 하지 못한다. 필자의 대표적인 기획 출판의 책이 《나다운 방탄멘탈》이다. 300개가 넘는 출판사에 출판 기획서를 만들어서 보냈다. 거절 메일이 몇 개가 왔을 거 같은가? 누군가는 투고 스트레스 때문에 원형 탈모가 오고 소화불량, 우울증까지 걸린 사람도 있다. 당연한 것이다. 1,000만 원 ~ 3,000만 원 (책 한 권 작업하는 모든 비용인 인건비, 책 부수, 홍보비, 유통비, 물류비...)을 투자해 주는데 아무나 기획출판을 해주겠는가? 출판사에서는 리스크를 감수하고 기존에 경험과 가능성으로 기획출판을 하기 위해서 신중에 신중할 수밖에 없다. 하루 만에도 대형 출판사에 평균 투고 원고가 100개 이상이 온다고 한다.

그래서 대부분 책 출간하는 사람들이 자비출판, 대필 출판을 한다. 돈만 있으면 투고 스트레스 없이 책을 출간할 수 있기 때문이다. 그래서 시간의 여유가 없고 책 쓰기를 해보지 않은 사람들, 국회의원, CEO, 유명인사들 대부분이 대필 출판을 한다. 대필 출판이 불법, 이상한 것이 아니다. 머릿속에 있는 내용을 말로는 하기 쉬운데 글로 쓰고 정리하는 것이 힘들기에 대필 전문가에게 의뢰를 해서 책을 출간한다. 자비 출판은 자신이 써 놓은 원고가 있는 상태에서 100만 원 ~ 500만 원 들어가고 대필 출판은 원고가 없어도 가능하며 기본 400만 원 ~ 1,000만 원까지 들어간다. 대필 출판은 책 출간이 아니라는 말이 있다.

'책을 출간 한다.'기 보다는 '책을 산다.'라는 말이 더 가깝다. 그래서 원고를 직접 써본 사람과 안 써본 사람 차이는 하늘과 땅 차이이다. 대필 출판인지 아닌지 알 수 있는 방법이 있다. 그것은 방탄book기술력 코칭 때 배우게 된다.

책을 한 권 출간하면 2권 ~ 3권을 출간할 수 있는 가능성이 생기고 2권 ~ 3권을 출간하면 10권을 출간할 수 있는 가능성이 생기며 10권을 출간하면 100권을 출간할 수 있는 가능성이 생긴다. 한마디로 한 가지를 이루면 더 큰 것을 이룰 수 있는 개미 성취감이 누적되어 상상할 수 없는 결과가 나오는 것이다.

필자가 종이책 150권, 전자책 250권 총 400권 출간할 수 있는 비결 중에 한 가지가 독립(개인, 자가)출판인 방탄book기술력으로 출간 했다는 것이다.

지금 당신이 보고 있는 이 책의 내공, 가치 값어치가 책값의 1억 배는 가져간다는 것을 명심해야 한다. 단언컨대 대한민국, 세계 어디에서도 방탄book기술력을 배울 수 없다. 오직 방탄book사관학교에서만 가능하다.

★ 책 출간을 위한 체크리스트

- 오타 확인 (오타 체크를 하면 할수록 계속 나오는 이유)

다음은 오타 체크를 하면 할수록 계속 나오는 이유가 왜 그러는지 깨닫게 해주는 내용이다.

출간 후 대놓고 보이는 오타! 왜 여러 번 퇴고해도 못 찾을까? 읽지 않고 보기 때문이다. 내가 쓴 글은 이미 내용을 잘 알고 있다. 이 문장 다음에 무슨 내용이 나올지 이미 안다. 출판사 교정 교열 담당자도 마찬가지. 여러 차례 반복해서 읽다 보면 자연스럽게 내용이 외워진다. 그렇게 되면 '읽는다.'고 생각하지만 착각이다. 실제로는 그저 눈으로 '보기만' 한다.

글 전체를 텍스트가 아니라 하나의 이미지로 인식하는 것이다. 그러니 첫 줄부터 대놓고 오타가 있어도 발견하지 못하는 일이 생긴다. 남이 쓴 글에 오타가 잘 보이는 이유기도 하다. 내용을 모르니 자세히 '읽기' 때문이다.

이것이 퇴고 과정에서 한 번은 소리 내어 읽어야 하는 이유다. 김영하 작가님의 책 <보다 읽다 말하다>라는 제목이 정답을 말하고 있다. 보지 말고 입으로 소리 내어 읽어야 한다.

<네이버 블로그 카루의 프리랜서 라이프>

오타 체크하는 방법이 여러 가지가 있다. 필자가 하는 방법을 소개하겠다. 네이버 맞춤법 검사, 한국어 맞춤법/문법 검사기다. 가장 많이 사용하는 것이 네이버 맞춤법 검사기다. 100% 정확하지는 않지만 간접적인 퇴고하기 위한 오타 체크로는 쓸만하다.

필자가 하는 방식은 이렇다.

1차로 작업해 놓은 원고 내용을 복사해서 네이버 맞춤법 검사기에 300자 이하로 붙여 넣기 하고 몇 백번 반복으로 전체 원고 오타 체크한다. 2차로 직접 목소리를 내면서 읽고 오타 체크를 한다. 3차로 원고 전체 인쇄를 해서 3자에게 오타체크를 부탁한다. (같은 분야 종사자, 책 분야 종사자, 아내, 친구, 지인...)

원고 퇴고는 오로지 글 오타 체크가 주목적이 아니다. 퇴고의 주목적은 자신이 쓴 글을 다시금 정리하고 다듬어서 자신 분야 삼성(진정성, 전문성, 신뢰성)을 향상, 선한 영향력을 끼치기 위한 인생, 사람들에게 도움이 되는 인생, 세상에 필요한 사람이 되기 위한 인생, 지혜로운 인생을 살아가기 위한 행동을 하게 만드는 작업이다.

퇴고를 편하게 하고 싶다면 교정, 교열 전문가에게 맡겨도 된다.

A4 기준 / 글자 크기 10 / 줄 간격 160%

장당 1,000원 ~ 10,000원

(100페이지: 1,000*100= 100,000원)

(100페이지: 5,000*100= 500,000원)

A5는 500원 ~ 5,000원

전문가 일지라도 100% 오타 체크가 되지 않는다. 1차 체크하고 받아서 자신이 체크하고 다시 보내면 2차 체크하고 자신이 체크하는 식으로 3차까지 하고 3차 이후에는 추가 비용이 발생한다.

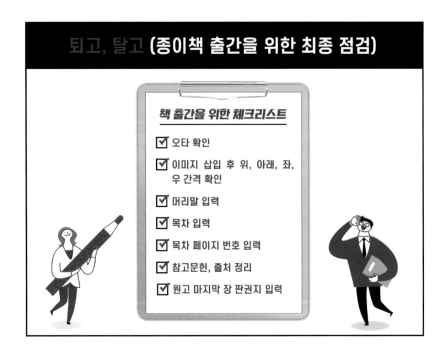

- 이미지 삽입 후 위, 아래, 좌, 우 간격 확인

한글(HWP)원고에 JPEG 파일을 삽입 하면 JPEG 이미지가 한글 규격 세팅해 놓은 규격대로 위, 아래, 좌, 우 변화 없이 삽입되는데 줄 간격은 맞지 않아서 이미지를 한 장씩 맞춰 줘야 한다.

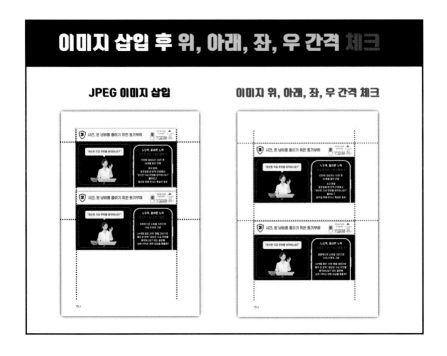

- 머리말 입력

머리말의 국어사전 뜻.

책이나 논문 따위의 첫머리에 내용이나 목적 따위를 간
략하게 적은 글. 말이나 글 따위에서 본격적인 논의를
하기 위한 실마리가 되는 부분.

<국어사전>

간단히 정리를 하면 책이 추구하는 목표, 방향이라고 생
각하면 된다. 다음으로 나오는 2권의 책 머리말을 참고
하자. 《300만원 동기부여 강의》, 《1조 리더십 강의》

방탄동기부여 PPT를《300만원 동기부여 강의》책으로 출간 했던 머리말.

머리말

세상에 동기부여 못하는 사람은 없다. 단지 동기부여 잘하는 방법을 모를 뿐이다.

특허청 등록! 등록 번호: 제 40-2072344 호

[최보규 자기계발코칭 창시자]

20,000명 심리 상담, 코칭 / 15년 2,000권 독서

자기계발서 100권 출간 / 강사 15년, 강의 6,000회

7G 직업

(출판사 대표, 작가, 심리 상담사, 코칭 전문가, 강사, 유튜버, 한집의 가장)

45년간 습관 320가지 만듦...

많은 경력과 시행착오, 대가 지불, 인고의 시간을 통해 알게 된 동기부여를 세계 최초로 공개한다.

스마트폰은 사용하지 않아도 배터리가 소모되듯 동기부여 또한 숨만 쉬어도 소모가 된다. 누군가에 의해서 충전하면 하루(1일) 가지만 초고속 충전하는 방법을 알면 100년 지속할 수 있다.

어떤 강의에서도 말하지 못한 동기부여!

어떤 강사도 말하지 못한 동기부여!

어떤 책에도 없는 동기부여!
어떤 영상에서도 볼 수 없는 내용의 동기부여!

방탄리더십 PPT를 《1조 리더십 강의》 책으로 출간 했던 머리말.

머리말

3고(고물가, 고금리, 고환율) 시대, 포노 사피엔스 시대, 4차 산업 시대, AI시대, 챗GPT 시대... 빠르게 변하는 현실 속에서 점점 더 힘들어지는 상황을 극복하고 차별화 리더십이 아닌 초월 리더십으로 업데이트하기 위한 방탄리더십 5단계 시스템!

1단계
노벨상 수상자 리더십, 성공한 리더의 리더십은 다 잊어라! 4차 산업 시대는 4차 리더십인 방탄 리더십 업데이트를 통해 천재지변 리더가 아닌 천재일우 리더
2단계
스트레스 관리, 마인드컨트롤이 잘 되는 리더 자존감, 멘탈 배터리 고속 충전하는 방법
3단계
삼성(진정성, 전문성, 신뢰성)을 높이는 습관을 통해 리더 행복 초고속 충전하는 방법
4단계

리더 자기계발, 동기부여책 200권, 영상 300개, 교육을 들어도 리더 자기계발, 동기부여가 안 되는 이유

5단계

퇴사를 막고 인재가 오래 머물게 하는 방탄 리더 품위 유지의무 10계명

리더는 누구나 하지만 방탄 리더는 아무나 못한다.

방탄 리더 1명이 10만 명을 변화시키고 먹여 살린다.

누구나 방탄 리더가 될 수 있었다면 난 절대로 방탄 리더를 선택하지 않았을 것이다.

어떤 강의에서도 말하지 못한 리더십!

어떤 강사도 말하지 못한 리더십!

어떤 책에도 없는 리더십!

어떤 영상에서도 볼 수 없는 내용의 리더십!

- 목차 입력

방탄 리더십 PPT는 목차 1 ~ 목차 6 까지 있다.

그림과 같이 PPT에 있는 목차를 그대로 한글 원고에 옮겨 쓰면 되고 목차 안에 세부적인 부 목차도 쓰면 된다. 방탄동기부여 PPT를《300만원 동기부여 강의》책으로 출간했던 목차를 참고하자.

목차 입력

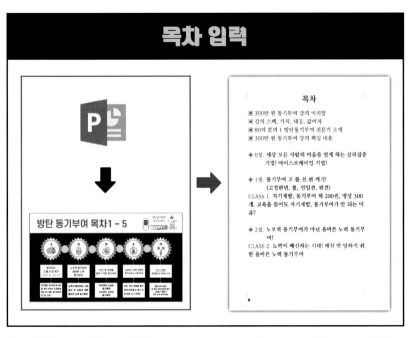

목차 입력

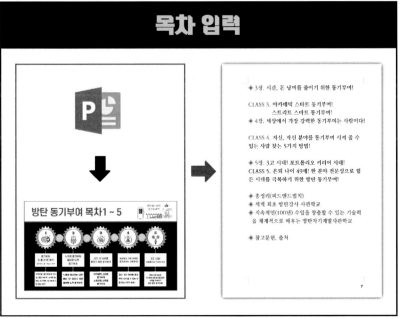

– 목차 페이지 번호 입력

원고 1페이지부터 마지막 페이지까지 한 장씩 보면서 페이지 번호를 입력하면 된다. 페이지 번호가 틀리면 안 되기에 페이지 번호 입력한 다음에 한 번 더 확인해 주면 좋다. 방탄동기부여 PPT를 《300만원 동기부여 강의》 책으로 출간했던 목차 페이지 번호를 참고하자.

이미지, 스토리텔링, 책에서 발췌한 스토리텔링, 기사 내용, 보도 자료, 영상 정리한 내용, 유튜브 영상을 정리한 내용 등이 있다면 출처를 정확하게 밝혀야 한다.

출처를 남기지 않아 법적 조치(저작권법)를 당할 수도 있다는 것을 명심하자.

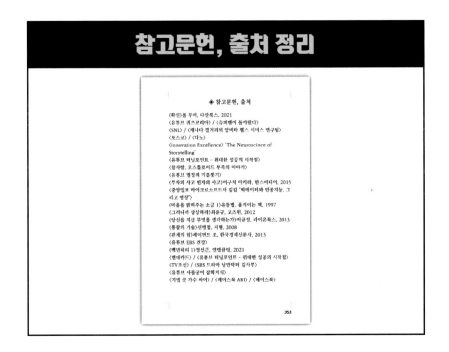

– 원고 마지막 장 판권지 입력
출판의 중요한 정보가 있는 마지막 페이지다.
bookk출판사 양식을 참고하고 이미지는 출간 승인 완료
된《300만원 동기부여 강의》책 판권지다.

어린 왕자(제목을 적어주세요)

발   행 | 2024년 00월 00일
저   자 | 생텍쥐 페리(저자명, 필명을 적어주세요)
펴낸이 | 한건희
펴낸곳 | 주식회사 부크크
출판사등록 | 2014.07.15.(제2014-16호)
주   소 | 서울특별시 금천구 가산디지털1로 119 SK트윈
타워 A동 305호
전   화 | 1670-8316
이메일 | info@bookk.co.kr

ISBN |

www.bookk.co.kr
ⓒ 생텍쥐 페리 2024

6.퇴고, 탈고
(종이책 출간을 위한 최종 점검)

판권지

300만원 동기부여 강의
(동기부여 일타강사! 동기부여 사용 설명서!)

발 행 | 2023년 11월 11일
저 자 | 최보규
편 집 | 서윤희
디자인 | 최보규
마케팅 | 최보규
펴낸이 | 한건희
펴낸곳 | 주식회사 부크크
출판사등록 | 2014.07.15.(제2014-16호)
주 소 | 서울특별시 금천구 가산디지털1로 119 SK트윈타워 A동 305호
전 화 | 1670-8316
이메일 | info@bookk.co.kr

ISBN |

www.bookk.co.kr

354

◆ 참고문헌, 출처

《상상하여? 창조하라!》유영만, 위즈덤하우스, 2008
<참사람, 오스틀로이드 부족의 이야기>
<유뷰브 열정의 기름붓기>
<유튜브 터닝포인트 - 위대한 성공의 시작점>
<열정에 기름 붓기>
<유튜브 Demirören Haber Ajansı>
(2020년 8월 11일 앙코르메일)
<고도원의 아침편지>
<담양뉴스>

강사 비수기 5개월 4
(돈 못 버는 강사 돈 버는 강사)

발 행 | 2024년 08월 08일

저 자 | 최보규, 서윤희

편 집 | 최보규, 서윤희

디자인 | 최보규, 서윤희

마케팅 | 최보규

펴낸이 | 한건희

펴낸곳 | 주식회사 부크크

출판사등록 | 2014.07.15.(제2014-16호)

주 소 | 서울특별시 금천구 가산디지털1로 119 SK트윈타워 A동 305호

전 화 | 1670-8316

이메일 | info@bookk.co.kr

ISBN | 979-11-410-9858-2

www.bookk.co.kr